U0063250

四簽名

大眞相

作者：柯南·道爾（Arthur Conan Doyle，1859～1930）

處處留心皆學問——

福爾摩斯的冷靜智慧

顏世錫

福爾摩斯探案是許多人年輕時代裡鮮明的記憶，也是我早年喜愛閱讀的故事，世界書局在七十年前第一次把它引入中國白話文的世界，如今又重新編修出版。閻初總經理託我爲這套書作序，她是我多年好友，也是我從江兆申老師習字時的小師妹，因此便慨然應允。

故事書中懸疑緊湊的情節，現在讀來仍舊津津有味；但我從事警政工作幾十年來，早已在犯罪的刀光血影中走過千百回，也經歷了各式大小案件，如今重讀此書，感覺最值得玩味的，是福爾摩斯的冷靜、智慧和勇氣。他敏銳的觀察力和縝密的推理分析實是破案的重要關鍵。當然，隨著時代的進步，各種鑑識科技應運而生，爲偵辦工作提供了更多更好的輔助，但這位神探的博學多聞、細心耐心、追求眞理、堅持原則的特質，應該是這套書背後所傳達的重要意涵。這不僅是犯罪偵查人員必須具備的要件，引申到現代生活中，也是一般大衆應該加強的思維。

近年來，治安問題始終是大家關切的焦點，犯罪手法的翻新和犯罪年齡的下降給社會帶來了空前的挑戰。今日，打擊犯罪要靠警民合作，不要妄想仰賴一、二位超人神探，而是要靠許多福爾摩斯的配合——人人都應留意自己周遭的人事物，遇有狀況，冷靜分析，並熱心負起改善治安的責任。青少年朋友更要不盲從、不衝動、多用眼、用腦、用手去開啓自己正確的路。其實，福爾摩斯風靡世界一百年，始終在各個時代裡蟬聯青少年心中的英雄，他永遠光鮮的外表、永遠零亂的書桌、他獨特的衣帽煙斗、千變萬化的喬裝掩飾、冷靜聰明的頭腦、鍥而不捨的作風、濟弱扶傾但尊重法理的俠義精神，不也正符合我們這個時代年輕朋友最「酷」的選擇嗎？與其盲目崇拜偶像，不如冷靜分析什麼是自己該堅持的主張，才不致迷失徬徨。

我想，福爾摩斯雖然是在柯南・道爾筆下塑造的人物，但能跨越時空、歷久彌新，是因爲他以最有趣引人的手法，在許多人的生活中引起共鳴：我們都有探索黑暗與未知的好奇，也都有找出眞相、伸張正義的嚮往；我們都希望具備超人智慧，能先知先覺地解決難題，也都希望在零亂紛擾的疑團中抽絲剝繭地理出邏輯。就在事實與想像裡、在假設與證據間、在科學理論與小說創作下，你我心中都有福爾摩斯的影子！喜見世界書局再一次把他帶進讀者的世界，也希望讀者把他的冷靜、智慧與勇氣帶進自己周遭的世界。

一九九七年十二月二十五日

出版緣起　當福爾摩斯重現世界

閻初

一八四一年，美國、愛倫・坡發表《莫爾格街謀殺案》，偵探小說這個名詞第一次出現。當時，在東方，列強的炮火早已轟開了中國的大門，他們正用鴉片對這個民族進行集體謀殺。林則徐等人企圖緝兇歸案，但終告失敗。

一八八七年，英國，一位身材削瘦、披著斗蓬、叨著煙斗的神探誕生了。當時，正值光緒十三年，慈禧歸政德宗，其實東方也很需要一位智多星，能幫著皇帝懲惡捉奸、撥亂反治。

接著，甲午戰爭、戊戌變法後，晚清的翻譯小說便紛紛出現，一九〇二年，最早的一篇文言福爾摩斯刊登在梁啓超編的《新民叢報》和《新小說》上。

民國十六年，上海，世界書局出版《福爾摩斯探案大全集》，由「中國偵探泰斗」程小青和嚴獨鶴、包天笑等人以白話文翻譯。從此，這位西方的神探便正式進駐龍蛇混雜的十里洋場，而他的傳奇經歷，也快速地傳遍中國各地，成爲家喻户曉的人物。

譯者程小青先生自幼喪父，原本在鐘錶店裡當學徒，工作之餘便到夜校補習英文。他寫作時認眞嚴謹，講究專業精神，除了大量閱讀西方偵探小說外，還特別透過函授，修習美國警官學校的犯罪心理學和偵探應用技術等課程。據聞，每當他開始構思小說情節時，常常跑到杳無人煙之處，苦思冥想，直到倦鳥歸巢，他才返家命筆。透過他的譯筆，福爾摩斯成爲風靡大衆的一個有情、有理、有趣的偶像。

東方古老沈重的社會裡，永遠流傳著包青天、施不全的奇聞軼事，他們是神仙下凡，是老天爺賞給小老百姓的難得恩賜；但洋人筆下的福爾摩斯，卻是科學的、智慧的凡人，他靠冷靜謀略使眞相大白、讓沈冤昭雪、叫惡人伏法，舉凡聰明博學者皆可爲之。福爾摩斯的受歡迎、被認同實也反映了當時社會的背景：問天聽天的封建已被打破，科學民主正是主流，西潮洶湧、人心激盪，而苦難仍是一個接著一個地降臨在小老百姓身上，於是，人們期盼一個合邏輯的救難英雄——福爾摩斯正適合；人們也渴望脫離無解的現實，進入另一個善惡分明、凡事找得到答案的文明世界——偵探小說正是這樣一個非神化的理性空間。

當時的社會背景也符合現在的情境，只是，物慾更橫流、道德更淪喪、犯罪更猖狂！

一九九七年，福爾摩斯重現世界，距離他第一次在我們的白話文世界裡出現恰巧七十年，古人說：「七十而從心所欲，不逾矩。」所以，我們在忠於原著並尊重譯者的原則下，將百餘萬字重新順讀潤飾，並修改程小青先生的上海方言、文白夾雜和人名地名的翻譯，以便更符合現代閱讀習慣。我們相信新的口語、新的包裝，將帶給福爾摩斯新生的體魄，再加上他歷久彌新、雋永沈潛的智慧與勇氣，必更能遊刄有餘地展開工作。然而，現代犯罪花樣的翻新、犯罪組織的龐大，豈可靠一個神探解決，所以，世界書局徵召各方好漢，一起來做他智勇雙全的好幫手。

偵探小說向來不被新文學正視，它只是個生活消遣品，但它確實能反應出某些社會意義。百餘年來，我們中國人從那個問天祭天謝天的封建中走過來，掙著敲打出這個民有民治民享的雛局，但目前的自由和法治眼看正在消失，於是在亂相威逼下，人們方才醒悟到在民主社會中，天子可以推翻，但天道不可悖離，個人的小惡、衆人的姑息，必將鑄成大錯，不可收拾。今日我們撥亂反治，也不能只翹首青天，還是要從每個小人物的細心、關心和警覺心做起。這套「化了妝的社會科學教科書」，或許能啓發我們一些敏鋭觀察、分析判斷和沈穩處事的能力。畢竟，花繁柳密處撥得開，方見手段；風狂雨驟時立得定，才是腳跟。我們愛這花花世界，總要在變通與原則之間，找出自己安身立命的方法。

福爾摩斯長篇探案 **四簽名**(*The Sign of Four*)

目錄

四簽名（原名 The Sign of Four）

第一章　推斷學的小試

歇洛克・福爾摩斯從火爐的架子上拿了一瓶藥水，再從一隻軟皮篋拿出一個精製的針筒，用他瘦白的手指把針筒放在瓶裡，吸滿藥水，然後捲起左臂的衣袖，慢慢地注入肘腕中間。等到留了許多針孔痕跡的手臂水漬淋漓，方才收拾了注射器，丟掉藥水管，坐在一張天鵝絨的安樂椅裡，緩緩地吐氣，似乎很快樂的樣子。

他做這樣的事，每日要三次，這幾個月來，我已經見慣了，他自己雖覺很得意，我總不以爲然。日子一天天的過去，我一瞧見他這舉動，總爲他擔心。晚上睡覺時，我曾想過，若再不嚴厲地阻止他，我的內心會覺得不安，我雖是再三想以傷身的理由誠懇地感動他，但我終究不敢說。因爲福爾摩斯性情嚴肅而冷漠，自尊心又很強。做他的朋友，即使約略有些勸告，他也總以爲不對。況且他的毅力和審察事理的能力處處令人佩服；所以我雖是想說，反而慚愧自己的淺陋，只好退避三舍了。

那一天午後，見他注射完了，我覺得不能再容忍了。這一件我平日不敢向他說的事，那一天竟說出來了。或許是因爲我吃飯的時候喝了些酒，壯了膽，或許是因爲我心裡實在無法容忍了。

我驟然問他道：「你所注射的是嗎啡？還是古柯鹼？」

他那時剛拿著一本舊書，仰起了脖子，張大了眼睛答道：「古柯鹼啊！這是百分之七的溶液，你要不要嘗試嘗試呢？」

我道：「不！這個那裡可以嘗試呢？我的身體因阿富汗的戰役還沒完全恢復，用它不好吧！」

福爾摩斯道：「說得也對，華生，我雖然知道這藥性過於強烈，用了容易有副作用，但是因爲我身體這麼瘦弱，如果沒有這東西，恐怕不能振起精神。我因用久了，也就忘了它的害處了。」

我誠懇地說道：「你應該自己想想，仔細衡量它的利害得失。它只能夠提神罷了。而它之所以能夠醒腦，只不過是刺激腦神經。腦的質地很弱，暫時受了刺激，會覺得精神略略提振，然而時常這樣的刺激，腦的組織不免要受傷，以後腦力的衰弱，是不堪設想。我阻止你，是因爲我是一個略懂醫理的人，極愛我的朋友，所以苦口婆心地勸你，這當然不是尋常朋友敷衍應酬的話可比。你且記著。」

他聽了，沒有表示反對。只是把兩肘靠在椅背上剝弄指甲，似乎在那裡思考我所說的對不對。

他道：「我生性好動，假使給我問題、給我工作、給我深奧的密碼、給我極複雜的分析工作，讓我能夠一件件地去探索它的玄妙，那麼我才會覺得全身舒暢。如果吃飽了飯，一天到晚不用心，那我就會覺得全身不對勁。當我擇定職業的時候，就有這個存心。況且做這行業的世界上只有我一個人啊。」

我道：「私家偵探只有你一人嗎？」「是啊！我可說是唯一的私家偵探，如果說是偵探界中最高、最頂尖的裁決機構也不算是誇口。像葛萊生、雷斯特拉、艾斯耳、瓊司等，他們遇到糾紛難解的時候，總會來問我。我憑著經驗，依了途徑尋出線索來，事情便立刻得到解決。可是我的目的並不想藉此賺錢，報紙上也沒有我福爾摩斯的名字，人們認爲極困難的，我總能明瞭。一件事情成功了，就可以安慰自己，可以驕傲於人，酬報我的勞心勞力，這已經夠了。你已是個明白人，對於傑弗生·霍波一案，你親眼目睹我的成功，現在用來證明我的話，應該沒錯吧。」

我道：「對啦，我平生所見的奇事，這一案要推第一了。我已經把這案子的始末寫成了一本小說，並題上一個奇異的名字，叫它『血字的研究』。」

他搖頭道：「我也看得爛熟了，這件事我實在不能贊同。須知道，偵探是一種精確的科學，萬萬不能感情用事。你若以小說的方式看待它，結果就好比把一個幾何定理演成言情小說一樣。」

我道：「但是故事情節離奇，好似小說，我不能歪曲啊！」

「事實和小說應該辨個明白。即便有些相像，也應該分別比較。凡事必定有一個眞理，偵探學是根植於事實的結果，是要探索它的原因，只要眞理的見解沒錯，沒有不能解決的。」

當時我寫這部書的用意，本來是想討福爾摩斯的歡心，誰知他做了一個冷酷的批評，我心裡覺得很悶。但是福爾摩斯這個人很自負，如果要按照他的意思寫，一定要大大地修改。

我和福爾摩斯住在貝克街有好多年了，曾經暗地留意他的舉動。他在靜默的時候，總隱藏著驕傲。所以對這件事我不願多說，只是靜靜地坐著，休養我的腳傷。我的腳曾經被子彈打穿，雖然沒成廢人，但是每逢天氣變換，關節就隱隱作痛，很痛苦。

停了一會，福爾摩斯把煙草放在煙斗裡，一邊吸著，一邊說道：「我偵探的業務近來漸漸擴張到歐洲大陸了。前一個禮拜，有一個法國人弗朗恩瓦．李維亞耳來請教我。這人你或許也認得，在法國偵探界裡可算是後起之秀，他的資質好，膽識也不差，可惜學識太淺，遇到疑難案件，常苦於沒有實在學識去應付。他所請教的是一件遺囑案，極有趣。我告訴他兩件相似的案情：一件是一八五七年我在力茄所偵辦的，一件是一八七一年在聖路易城所偵辦的。經我一番解說，他的疑惑頓時全消，案情的眞相就水落石出了。今天早晨，我收到一封信，是我的助手寄給我的，你可以拿去看看。」說著，就把一張外國式的信紙給我，我看了大概，見那信全是法文，中間有很多恭維的話Masnifigues，Coup-de-matres，Tours-de-force一類的字等等。

我看完了笑道：「這好似小學生恭維他的老師。」

歇洛克．福爾摩斯輕輕說道：「對啊！恭維得太過分了。他的偵探能力雖沒有到家，可是偵探所需要的條件也已經有了三分之二，有了推斷力，有了觀察力，只欠缺學識罷了。其實只要他求學心切，學識也並非難事。他現在想當翻譯，想要把我的作品譯成法文。」「什麼？是你的大作嗎？」

他笑道：「我有許多著作，難道你不知道嗎？我寫過幾篇技術性的文章，例如《煙灰辨識》一篇，單就雪茄煙、紙煙、煙斗絲三類，就舉出一百四十種，而且每一種煙灰都有彩圖，另外還加上詳細的解釋。在偵探的時候，煙灰常常可以當做是全案的導線。譬如一個殺人的兇犯，如果能夠斷定他的煙灰是印度煙，那麼，追尋的時候，範圍就減小了。並且煙灰的辨識也很容易。閱歷多的，見了『印度雪茄』的黑灰，和『鳥眼』煙的白灰，好似蔬菜和馬鈴薯，可以一望而知。」我道：「你有過人的天賦，所以如此精明。」

「因為事關重大，實在不能不如此。我的作品中還有一篇腳印的辨別法。裡邊提到，因為腳印容易被湮沒，所以可用熟石膏來保存。其餘像手指印，雖是痕跡極小，可是石工、水手、木匠、礦工等各類的人，職業既然不同，手指印也各有不同。所以我也畫成了圖樣，詳細解釋，讓做偵探的有依據，對於無名屍體的辨認和探索罪犯的行蹤極有益處。我瑣瑣碎碎地對你說這些話，你可要疲倦了？」

我回答道：「非但不疲倦，反而很愉快。這些話可以印證你以前探案的方法，讓我能夠身歷其境，知道你的成功並非僥倖。但是你所說的觀察力和推斷力兩件事未免有些混淆。」

他把背穩靠在椅背上，重重地吸了一口煙，濃煙縷縷，從煙斗中出來，飄過他的額角。他又說道：「且先拿你來當例子。照我的觀察，我知道你今天上午必定到過維克莫亞街的電報局，照推斷力說起來，我知道你必定在那裡發出一封電報。」

我道：「是啊，這兩件事的確都沒有錯，

但我不知道你怎樣猜到的。這是我一時的行動，我並沒有告訴別人啊。」

他道：「你雖沒有告訴別人，事實本身卻能夠告訴我。這件事很簡單，解釋起來卻很繁複。然而就此可以分出觀察力和推斷力的界限和範圍。觀察力告訴我說，你的鞋頭有一些紅泥，就我所知道的，維克莫亞街電報局門外正在修築街道，從地下掘出來的紅泥堆積在局門外，往來不留神的，就會踏到這泥污。這泥色和尋常所見的不同。今天上午，你既然沒有遠行，近處街道又沒有這相似的紅泥。所以你必定是去維克莫亞街，這是觀察力，其他的便是推斷力。」

「是啊，但推斷力還告訴你些什麼？使你能夠斷定我發過一封電報呢？」

「這也是很容易了解的。今晨我和你面對坐著，沒有見你寫信，你桌上的明信片、郵票都沒有動，你不發電報，去那裡做什麼？凡事在推斷的時候刪掉一些可能，那麼，最後的結果就確定了。」

我略略想了一想，又道：「這件事正合你所說的，這本來就簡單而容易推斷。我再給你一個比較煩雜的試驗。你不會因我的放肆而惱怒？」

他答道：「儘管放心說，或許還可以免掉我第二次的古柯鹼注射。凡是你所問的，我差不多沒有不願意解釋的。」

我道：「我曾經聽你說過，人們的日用品一定會留下這個人的特徵。精於探事的人，可以見了東西就知道這個人。現在我有一隻錶，是最近得到的，然而錶卻是舊貨，你能夠看出這錶主人的特徵嗎？」

我說時把錶給他，他平日很獨斷，現在我拿一件不可能的試驗窘他一下。他接到了錶，放在手裡，掂估它的重量，又仔細地看錶面，然後再打開後面的蓋子，留心查看內部的機件。同時，從他的衣袋裡摸出放大鏡來仔細地察看。我見他臉色時時改變，忽然神氣沮喪，一語不發，幾乎使我笑出來。後來他把錶還我。

他道：「這件事很難，幾乎沒有頭緒可尋。因爲這錶最近才修理過，紋路痕跡都沒有了。」

我答道：「是的，的確修理過，然後才給我的。」我暗忖他是要掩飾他的失敗，才故意說這些話來搪塞。假使我把一隻沒有修理過的錶給他，大概也不過如此了。

他仰起頭，注視著屋頂的天花板，分明在那裡默想。他慢慢地說道：「雖所得結果不令人滿意，還好沒有完全失敗。現在姑且說說看，請你指教。我想這東西必定是令兄的，令兄又是從令尊處得來的。」

我問道：「這是從錶的背面H・W・兩字上知道的嗎？」

「不錯，W一字是你的姓。錶裡面所刻的製造年月離現在已經有五十年了，這樣長的時間，可知它一定是祖先的遺物了。並且按習慣說起來，凡是金玉珠寶一類的東西，傳給長子的多，長子的名字又往往襲用父親的名字。如果我猜測的沒錯，令尊已經去世多年了。所以我敢斷定這錶必定在令兄的手裡。」我道：

「是，還有呢？」

「令兄的行爲放浪無度，喜歡揮霍，不能創業。雖有雄厚的資產，但不久就用完了，所以常常處於困窘的狀態。後來因爲飲酒過量，糊裡糊塗地死了。我所知道的，都說出來了。」

我聽了，頓然觸起舊時的感念，站起來說道：「福爾摩斯！你爲什麼對著人家的弟弟說他兄長的不是？這對嗎？而且你所說的也未必都是出於推斷，恐怕預先知道家兄的慘史，藉此來欺侮我吧。果眞如此，你不是要自己減損自己的價值了嗎？」

他很和緩地說道：「華生醫生！請你原諒我的荒謬。我推斷了很久，偶然有所心得，便直言無忌，不料觸動了你的情緒。但是你說我預先知道令兄的慘史是不正確的。我沒有看見錶之前，不知道你有哥哥呢。」

「那麼，你從何知道他的行爲？又爲何知道這麼確實呢？」

「僥倖之至！我只是揣測罷了，不敢斷定事事都確實啊！」

「那麼，你所見的是憑著假設嗎？」

「不！不！我決不把假設算是能力。凡事必定先有理由，如果只憑假設，往往容易失敗。你聽了我的話所以吃驚，是因爲還不知道我從細微的事體上可以知道其他的大事。如果照我的假設去尋索，沒有不立刻解決的。現在我來說出理由。我先說令兄的行爲很不謹愼，請看這錶！不但下面邊沿有傷痕兩處，並且四邊還有傷痕無數，顯見這錶常和錢幣鑰匙一類的堅硬東西放在同一個袋中。這錶大概可值五十金幣，可見他任意亂放，不知道愛惜，那麼，這人的不謹愼就可想而知了。況且家傳的東西，單就一隻錶已經如此貴重，若說是遺產不豐厚，也沒有這個道理的。」我聽了點點頭。

「依倫敦當舖的慣例，每典當一隻錶，必定用尖鍼刻當票的號數在錶的內部，以免發生糾紛。現在用放大鏡看，這類號數前後有四次，可知令兄必定常陷入困窘的狀態。有豐富家產的人還要陷入窘境，如果不是揮霍無度，不能治產，那裡會到這地步？再看錶的裡蓋，鑰匙孔的四周傷痕無數，七橫八豎，這必是喜歡飲酒的人，醉後開錶，心神恍惚，手腕顫抖，所以如此。這中間有什麼神秘可說呢？」

我答道：「這件事經過你一番解釋，如見天日。我方才冒犯，請你原諒。從此我對你的能力，將有更大的信心。但是我問你，你勞心勞力，如此專一，不是要傷身的嗎？」

「不，有『古柯鹼』在。我不用腦無法過日子。除了用腦以外，還有何種生活呢？試想，整日在這窗畔看著屋外昏沈的黃霧，迷迷濛濛地，街市都模糊了，屋舍也隱沒了，不是昏悶極了嗎？人們如果吃飽了飯，一天到晚不想怎樣解悶，不是要頹喪而死嗎？醫生，你想想看，若有一專長，卻不去使用，又何必要這專長呢？人們犯罪是極尋常的，我生在這世界也是極尋常的，若沒有做益於社會的事，不是很荒謬嗎？」

我正要開口回答他，忽然有敲門的聲音。女房東哈德遜太太托著一個銅盤，放著一張名片，對我的同伴福爾摩斯說道：「先生！有一位小姐要見您。」

他看了名片說道：「梅麗・蒙斯呑小姐？我不認得她。哈德遜太太，請她上樓吧。華生，你也不要離開。」

第二章　案情的陳述

蒙斯呑小姐慢慢地進來，舉止穩重，態度大方，是一個年輕的小姐，金黃色的秀髮飄飄地覆在額上，身體很淸瘦，衣著很樸素，眉宇間似乎有很深的苦楚，一望而知是來商量案情的。她所穿的褐色外衣並沒有裝飾的東西，帽子也是褐色的，手上戴著手套，帽邊插著白羽，面貌雖不過是中等，卻很溫柔可親。蔚藍的眼睛，水汪汪地好似在訴說她的愁苦，格外引起人們的憐憫。我經過三大洲十數大國，所見的女子很多，然而從未見過一個人能夠在神情之間顯出天然忠厚的。當她坐在歇洛克．福爾摩斯所指定的座位時，櫻唇微動，手有些顫抖，不安的神情顯然可見。我禁不住對她產生深厚的同情。

「福爾摩斯先生！我所以來請教是因爲我的女主人西西爾．弗來司特太太曾經請你探過案，很相信你的能力，並知道你爲人謙和，所以要我到這裡來。」

他一邊想著一邊說道：「西西爾．弗來司特太太，啊！我對她的幫助很少，因爲她的案情極容易解決。」

「你說容易嗎？她卻不敢輕視。如果你認爲那案子是容易的，恐怕對於我的案件，就要認爲棘手了。我想世間再也沒有比我所處的情況更奇怪而不易推測的了。」

福爾摩斯用力摩擦他的手掌，雙眼直視，他那沈毅像蒼鷹一般的面孔，頓時露出異樣的神態。他從他所坐的椅子俯下身子，頭微微抬起向前方，問道：「那麼，案情究竟是如何？快些說來！」

我怕在那裡旁聽會令她有所顧忌，因此站起來，對她說道：「我在這裡恐怕有些妨礙，暫時告別。」

她驟然伸起戴著手套的手止住我，對我的同伴道：「貴友若能夠略等一刻，或許也可以幫助我。」

我因此又重新坐下來。

她繼續說道：「這件事說起來也很簡單。我的父親是軍官，以前駐紮在印度。我的母親不幸很早就去世，那時我還在襁褓中，父親因嫌撫養我累贅，就送我回英國。倫敦雖是故鄉，親戚卻很少，我沒辦法，只好到愛丁堡讀書，寄宿在一個學校裡，十七歲那年畢業。一八七八年父親升上尉，請假十二個月回英國，到了倫敦發電報喚我，說是住在蘭亨旅館，我還記得電報中的語氣十分懇切。我到了倫敦以後，坐車到蘭亨旅館，旅館人員告訴我，蒙斯呑上尉的確住在那裡，但是在前天晚上出去，至今還沒有回來。我在旅館裡等了一天，一點消息也沒有，到了夜裡，我接受旅館經理的建議去報警，次日又在晨報中登了廣告，效果卻等於零。從這天以後，凡是有關我父親的不幸消息，一個字也沒有到我這裡來。我父親本來很快樂地回來，想在故鄉享點清福，誰知……」

她說到這裡，泣不成聲。

福爾摩斯拿出衣袋中的小册子來，問道：「失蹤的日子還記得嗎？」「一八七八年十二月三日，距離現在幾乎有十年了。」

「他的行李在那裡？」「還在旅館裡，但已檢查過，沒有什麼線索。衣服書籍以外，有很多安達門島的奇異古玩，這島是罪犯流徙的地方，我父親曾經當過島上的監察。」

「他在倫敦有沒有朋友？」「我所知道的只有一人，叫歇爾托少校。他和我父親是同僚，都是隸屬孟買步防第三十四隊。少校退職在我父親請假以前，住在上那胡街，我們也向他問過，他非但不知道，就連我父親告假回國的事，他一點也沒聽說。」

福爾摩斯道：「奇啊！眞是一件奇事！」梅麗．蒙斯呑小姐說：「然而這件事情最奇怪之處我還沒有說到。六年以前，是一八八二年的五月四日，泰晤士報上忽刊了一則沒有署名的廣告，說道：『梅麗．蒙斯呑小姐若能夠在報上刊出她的住址，必可得到好處。』這時候我已經在西西爾．弗來司特太太的家裡教她的幼子念書，我便和她商量，她認爲可行。我就照著登報。當日就有人從郵局寄一個小盒子給我，其中有一粒明珠，碩大圓潤，光彩奪目，但是盒子裡一張字條都沒有，寄的人是誰也沒法子探問。後來每年到了這一天，總會收到一粒明珠，大小光澤都一樣，就是放珠子的盒子式樣也是相同的。這樣接續六年，得到了六粒明珠，可是寄珠的人是誰卻始終不知道。這些珠子都是難得的珍寶，價值連城，兩位請看，你們應該也會稱讚這珠子的華貴吧。」

她說著，隨手打開一個盒子給我們看。我瞧這六粒明珠，寶光照耀，是我這輩子所沒有見過的。

歇洛克．福爾摩斯道：「你的話很有意思。還有沒有其他的情況？」

「有的，這就是我所要和你商量的。今天早晨，我又接到一封信，你可以拿去看看。」

她就把那信箋拿給福爾摩斯。福爾摩斯道：「請連信封一起給我。」

她照著他的話給了他。福爾摩斯一面讀信，一面說道：「郵局的郵戳是倫敦西南區，日期七月七日。啊，這一個大拇指印從那裡來的？或許是郵差污染的。紙張很好，信封每個值六便士，他喜歡用精美的文具。但沒有發信地址。『今夜七點鐘請到來修劇院門外，左邊第三根石柱旁等我。你是一個受了委屈的女子，現在應該得到公道，你心裡若不安而懷疑，來的時候可帶兩個朋友，但是不可和警察同來，來了就會壞了事。——你尚未謀面的朋友』蒙斯吞小姐，你要去嗎？還是打算不去呢？」她道：「這就是我要和你商量的事。」「你和我商量？我覺得一定要去。信上說的兩個朋友，我也替你預備好了。」他指著我說道：「華生醫生也算一個。」

她問道：「不知道他肯幫助我嗎？」說的時候，神情十分淒楚，似乎極希望我立刻答應她。我急道：「我若能盡一點力，榮幸極了。」

她答道：「我很感激兩位仗義相助。我從小就遇到艱難，苦痛不能申訴，沒想到在陌生人中間，卻得到兩位的幫助。我六點鐘準時到這裡找你們同去，好嗎？」

福爾摩斯道：「事不宜遲。並且我還要問一句，那寄珠子來的封箋，字跡和這封信相同嗎？」

她道：「封箋還在，現在也帶來了。」她便把所帶的六張舊紙給他。

他道：「你思慮很周密。凡是委託我探案的，確實應該這樣。」他把各張紙件放在桌子上，一件件細看。又道：「封箋筆跡和這信顯然是同一個人的手筆。雖然他竭力遮掩，然而那e字，字末的圓轉，正是相同。這怎能不說是同一人的手筆呢？蒙斯吞小姐，這種筆跡和令尊筆跡可相同？」她道：「不，一點兒也不像。」

「我也這麼想。現在已經三點半了，六點鐘再來。紙件留在這裡，讓我再研究一下。」

接著，她以法語道：「再會！」

我的同伴也以法語道：「再會！」她敏銳溫和的視線向我們遍視了一下。接著便將她帶來的珠子盒重新放好在胸口，匆匆走了。我呆立在窗前，從後面見她的倩影緩緩地下樓，直到她褐衣白羽雜在人叢裡辨不出爲止。

我回過頭來，對福爾摩斯道：「這女郎眞是美麗。」

他重新點燃斗煙，閉起眼睛，疲倦地靠在椅子上。他含糊答應道：「是嗎？我沒看見。」

我道：「你眞像一個機器人，又像一部計算機。凡是人們性情所有的，你竟沒有。」

福爾摩斯微笑道：「你以貌取人，所見已經偏袒了，我不認爲這是正確的。人們來和我商量案件，這個人不過是一個單位，也就是全部案件中的一份子，必須等案情明瞭以後，依照品性的好壞去論斷這個人的善惡，方才可以下結論。現在可拿兩件事來證明，我平生所見的第一美人，曾經陰謀詐取保險金和毒殺親生的三個兒子，最後受了絞刑。還有一個男子，和我素來熟識的，外貌極醜陋，心地卻很慈善，曾經花五十萬鎊周濟倫敦的貧戶。你想人可以貌相的嗎？」

「但是，她……」

「不要用『但是』兩字做例外的解釋。世

間定例差不多沒有例外的，有了例外，就是自己破壞定例。現在姑且談別的問題，你研究過筆跡嗎？試看這信！你能夠斷定寫信的是怎樣的人嗎？」

我答道：「筆法秀麗而有規則，大概是一個有聲望的商人寫的。」

福爾摩斯搖頭道：「試看他的字母，高度都差不多，d字和a字幾乎相同，l字和e字也幾乎相同。凡是有聲望的商人，寫信必定很謹慎，就是潦草，字母的長短總會不同。這人所寫的k字也很歪斜，大寫字母還算工整。那一定不是個有聲望的商人了。我現在要出去了。或許可在外邊探聽消息。」他又順手拿起一本書，對我說道：「這是李德(Winwood Reade)所著的《成仁記》(Martyrdom of Man)。你可以看，消磨這長日。一小時後我會回來。」

福爾摩斯走了以後，我靠窗翻看這本書，可是心思不定，那女郎的音容笑貌，和她所受的困苦，都盤旋在我腦海中。我想她十七歲就沒有父親，今年應該二十七歲，孩子脾氣沒有了，世間的閱歷也漸漸豐富了。我坐著只是默想，一顆心不知不覺漸漸到了幻境，後來忽然意識到這危險的妄念。因此，急忙站起來，在桌上拿起一本新出版的病理學細細地讀著，藉此遏制我的胡思亂想。我是誰？一個軍醫罷了，左腳受了傷，銀行裡的存款又少，怎好存這般妄想？這女子是案中的一個主顧，我實不該存什麼念頭。假使我將來的命運要陷於黑暗中，那麼，與其在幻想中求光明，還不如安心在黑暗裡倒好些。

第三章　在沈悶的途徑中

這時候是五點半鐘了，福爾摩斯方才回來。他的表情很得意，和他出門時的沈悶憂慮完全不同。

我端了一杯茶給他。他一面喝，一面說道：「這件事很容易，一點也沒有神祕。經過一番解釋，就能夠明白了。」「什麼？你已經得到眞相了？」

「只得到一點頭緒罷了。得了頭緒，眞相就沒有得不到的道理了。不過這頭緒必須條分縷析地解釋，然後眞相方能發現。方才我在舊的『泰晤士報』裡找到一則訃聞，說是：『前孟買步防第三十四隊歇爾托少校，一八八二年四月二十八日疾終上那胡街住宅。』」

「我遲鈍極了，福爾摩斯！不知道這訃聞和這案件有什麼關係？」

「你還說沒有關係嗎？奇啊！我來解釋這個理由。當時蒙斯呑上尉從印度回來，既然倫敦朋友不多，和他來往的必定是歇爾托少校。後來上尉失蹤了，歇爾托雖說不知道，但他豈能推脫乾淨。四年以後，歇爾托也死了，不到一星期，蒙斯呑上尉的女兒就從郵局裡得到一個寶物——明珠。從此六年間，每年總有這麼一粒明珠，現在並且給她一封不署名的信，說她是一個受委屈的女子。試問除了她父親突然失蹤的那件事以外，還有什麼委屈呢？並且歇爾托死了沒有幾天，就有寶物寄給她。如果不是蒙斯呑和歇爾托兩人間有重大的祕密，而歇爾托的兒子深知其中的因果，想要藉此彌補先人的罪惡，怎麼有這些事呢？你對我這一席話，可有不同的見解？」

「這事奇怪極了。他不在六年前寫信，卻在今天寫信，又為什麼呢？信裡又說：『現在應該得到公道。』試問多年舊案，死的死，失蹤的失蹤，還有什麼公道呢？是她的父親還活著嗎？這也很難令人相信。說是死了嗎，那公道何在？」

歇洛克．福爾摩斯想了一會，說道：「這中間的確還有疑竇。或許今天晚上走一趟就可以完全知道其中的祕密了。啊！窗外有一部四輪馬車，蒙斯吞小姐來了。你已經預備好了嗎？已經過了六點了，我們快下樓，不要再說閒話了。」

我拿了帽子，還帶了一根最粗重的手杖做防衛。福爾摩斯也從抽屜裡拿了手槍，放在衣袋裡，似乎料定今夜必然要用武力。

我們見了她，就一同登車。那時她穿著一件黑色的衣服，姿容雖好，臉色卻十分慘白。我想她一定很不安於今晚要赴約的這件事——她的毅力當然不是尋常女子所及。因為即使現在遇到這樣奇怪神祕的事，她的自制力也沒有減少。在車廂裡時，歇洛克．福爾摩斯有所詢問，她都回答得非常明白。

她說道：「歇爾托少校和我父親很熟，我父親在書信中總會稱讚少校。因為我父親和少校是同屬一個聯隊，又曾同在安達門監督罪犯，來往久了，就不知不覺地成了知己朋友。我曾在我父親的書桌裡找出一張紙，竟沒有人能夠解釋。這紙和此案雖然未必有關係，你們大概會喜歡看，所以我也帶了來。」

她把紙給福爾摩斯，福爾摩斯把紙鋪在膝

蓋上，拿出放大鏡來仔細看了一遍。

他道：「這紙是印度製的，角上有細孔，以前曾經釘在板上的。紙上所繪的圖，是一間大屋子，廳堂臺榭、長廊、甬道非常多。中間一點用紅墨水畫成小十字形，上面再用鉛筆寫『自左三・三七』，顏色已經褪了。紙的左角是一個奇怪的圖形，四個十字形聯合成的。圖的外面有四個人的簽名，名字是約納生・史毛爾、謨罕默德・心格、阿勃度拉・罕、達司德・阿克白。字跡都很粗陋，不像是上等人的筆跡。咦！我不明白了。這形跡如此奇異，必定是案中要件。並且這紙張正反面都潔白無二，可見平時摺疊也很留心，一定是夾在記事簿裡的。試想如果不是要件，爲什麼常常放在衣袋裡呢？」「這紙張確實是在他的記事簿裡。」

「蒙斯吞小姐，希望你珍藏好這張紙，將來或許有大用途。我起初以爲這案件很容易解決，現在卻覺得這一案中間也許還有別案，比我所料的更複雜神祕了。我現在不能不做再進一步的推想。」他說完這話，閉目靜想，端坐著不再開口，我趁此和她閒談，雖不知這回的結果究竟怎樣，姑且胡亂揣測，做我們的談話資料。隔了一會兒，我的朋友——福爾摩斯始終沒有開過口，我知道他的心已經深深沈浸在案情裡了。

這天是九月的傍晚，太陽將要下山了，路上的人漸漸稀少。雖還不到七點，極濃的迷霧已經籠罩整個倫敦城。地上汚泥很多，天上烏雲又重重壓下，讓人透不過氣來。一路從河濱道走去，路燈暗淡，光線細小如豆，照到街上，閃閃地成了圓形。兩邊店鋪黃色的燈光從玻璃窗透出。人們走在這樣的光線之中，不管他心裡是快樂或憂愁，在我看來，都會覺得非常淒慘。光線忽明忽暗，正和世間的沈浮一般。我的性情本來是很堅定，而不易受外力屈服的，但是所到的地方，既然如此沉悶，所逢的事又是如此怪誕，不禁令人毛骨悚然。我想蒙斯呑小姐也是這樣。只有福爾摩斯的強毅神情仍沒改變。他拿出一盞手電筒，把所帶的小册子放在膝上，一直在那裡寫東西。

後來到了來修劇院，見兩邊入口處非常擁擠。那些馬車像游龍流水一般，到了門前，全都停住。男子露出雪白的襯胸，女子則披了披肩，衣著華麗，從車中出來，好似運貨車急急卸下所載的貨物。那時我們也下了車，雜在人叢裡一起走。剛走到第三根石柱，忽見一個短小精悍的人，打扮像車夫的模樣。

那人招呼道：「你們和蒙斯呑小姐同來的嗎？」

她答道：「我就是蒙斯呑，這兩位都是我的朋友。」

那人抬起他灼灼的怪眼向我們逼視，並且聳動著兩肩，好似一隻猛犬。他問道：「很抱歉，我必須問兩位中間可有警官？」

她答道：「我依約而來，怎會和警官同來呢？」

那人不答，吹了口哨，有一個街上的無賴聽了聲音，驅了一部四輪馬車過來。車夫開了門，請我們上車，那短小精悍的人也跳上了車夫的座位。我們還沒有坐定，車夫已經舉起了鞭子趕馬了。那馬走得很快，發狂似地不肯受他的控制，車子因此十分顛震，穿過濃霧的街道快速前進。

那時我們所處的情況很奇特，又不知道到

什麼地方去，我們所做的究竟是什麼事呀？這人招呼我們去，或許把我們當成玩物，或許含著善意，要補償她父親所受的委屈，但不到全案眞相大白，我實在猜不出什麼。那時蒙斯呑小姐坐在車廂裡，驚恐得像什麼似的。因此我把前年在阿富汗親身經歷的冒險故事告訴她。我告訴她，一天深夜，一隻老虎走進幕帳裡來，我立刻放了一槍轟死牠，我並竭力揣摩當時的情境。她聽了，雖也嘆爲奇聞，但心思仍舊沒有安定，她也不很注意我。我也覺得心和口有些不相應，嘴裡雖講冒險的故事，心裡仍舊像轆轤般急轉，不能脫去幻境，所以所講的也減色不少。當我們上車的時候，車子所走的方向還能夠辨識，後來迷霧非常濃，我對倫敦又不熟，不一會兒，早已弄得不知所往了，我只覺得時間過了很久，路程當然也很遠了。但是馬蹄聲噠噠，車子出入大街或小巷的時候，福爾摩斯都正襟危坐，注視著車窗外。

他喃喃說道：「這是羅徹斯特街，這是文新街。現在我們走出福克司夏爾梅路了，快到休梨路了——啊！果然沒錯，現在上了橋，水光閃閃，你們也看見了嗎？」

我們從車窗中往外看，果然見泰晤士河從石橋下流過，又平又闊。停泊在兩岸的船，還隱隱發出黃色的燈光。但是車子走得很快，眼光剛看到水上，身子已到了橋的彼岸了。

我的同伴繼續說道：「這是溫德華司路，——柏里奧里路——拉克夏爾街——史托克威爾區——洛勃特街——夸爾德哈盤巷——咦！這地方漸漸冷清了，似乎不是上等人的住所。爲什麼帶我們到這裡來呢？」

我向窗外探視，見那地方非常冷清，兩邊

灰色的舊屋很整齊的排列著。偶爾在轉角的地方有酒樓茶肆的燈光透射出來，但是也陰森可怕。心想這等荒涼冷僻的地方平時倫敦人都視爲禁地，不願意來的，現在我們卻到這裡，心裡不由得十分疑惑。後來，又來到一條街上，兩邊都是兩層的小樓房，家家門前各有空地種著花草，雖小但極有幽趣。接著我們進了一條小巷，那小巷很長，房屋都是新建築，磚色簇新而動目，到了這裡，倫敦城已到了盡頭，再過去就是郊外了。最後，車子停在那小巷的第三家門前，我們都下了車，見新巷中間的房屋雖多，有人居住的卻只此一家，這家又隱密得好像沒有人住一般，僅僅在屋旁的廚房裡約略透出燈光來。

我們舉手敲門，之後就有一個印度的守門人來應門。那人穿著白色的衣服，非常寬大，腰帶和頭布都是黃色的。我暗忖一戶三等的住宅，有一個印度人守門，也有些不稱當。那印度人一走出來，就說道：「主人等候很久了。」沒有說完，已經有人在裡面高聲喊道：「客人來了嗎？快請進來！不要耽擱！」

第四章　禿髮者的故事

我們跟著印度人進去，順著通道走下，中間陳設非常粗劣，燈火也很暗淡。通道走完後，右邊有一扇門，印度人推了一推，門便開了，黃色的燈光從門裡射出來，燈光下站著一個瘦小的人，頭顱尖長，頭髮紅色，鬈曲著好像刺蝟，披到肩膀，頭頂已禿，像極了一座濯濯的山巔，從深林中矗透出來。他的神情十分奇異，似乎是滑稽而喜歡多辯的，站立的時候常互相摩擦兩隻手，臉上表情有時笑有時憂愁，沒有一刻靜止的，老天給他一張下垂的下唇，黃色而不整齊的牙齒暴露在外面，醜陋可笑。他常常把一隻手放在鼻下嘴前掩飾，但仍掩飾不了。他的頭頂雖禿了，年紀卻不大，看起來大約三十多歲。

我們進了門，那禿髮者就對她說道：「蒙斯呑小姐，我願聽候你使喚。」又對我們說道：「我也願聽候二位使喚。諸位請進來，這屋子雖簡陋，陳設卻是照我的意思的，倫敦的南郊荒涼極了，有了這樣的點綴，或許可算在沙漠中得到一片膏腴之地了。」

我們到了屋內以後，環視四周，也禁不住驚訝起來。因為沒有料到這麼幽寂的屋內，陳設竟十分華貴，好像一粒美麗的鑽石被丟棄在頑石破鐵中間。屋中許多東西都不像尋常人所有，錦帳繡幔，四壁生輝，圖畫和東方古磁的擺飾很多。地毯是黑色和琥珀色交織的花紋，又軟又厚，踏在上面好像踏在草地上一般，另外還有兩張虎皮平鋪在上面。屋角放了一張桌子，桌子上有一隻大水煙筒。屋頂上的一盞銀質鳩形燈從高處用金鍊懸吊下來，金碧輝煌，屋內並燃燒著東方的香料，滿室芳香。

我們坐定了，那禿頂男子一面笑，一面說道：「我是薩迪司．歐爾托。你當然是蒙斯呑小姐了。兩位是……」

女子答道：「這位是歇洛克．福爾摩斯先生。這位是華生醫生。」

他聽了，忽驚喊道：「你是醫生嗎？那眞是求之不得。不知道你可帶了聽診器？我懷疑我的心臟可能有問題，不過動脈應該還算好。你如果能夠聽聽我的心跳，眞是感激不盡。」

我依了他的話，拿出聽診器來聽，覺得他心跳和脈搏跳動都很正常，一點也沒有病狀。但是這人從頭到腳都在發抖，似乎在恐慌之中。我就對他說道：「你的心臟很正常，沒有問題，請不要擔憂。」

他道：「蒙斯呑小姐，恕我冒昧，我常常遇到不幸，讓我感到非常焦慮，因此就懷疑心臟有病。現在幸好聽說沒有病，就放心多了。我認爲世間的事，皆須以忍耐去對付。如果令尊也能夠自己克制，不讓他的心臟受到刺激，他至今還健在哩。」

我驟然聽了薩迪司說這冷酷的話，又裝出極平淡安詳的態度，心裡不禁冒火，想要撲到他面前。蒙斯呑小姐坐著，臉色十分慘白，嘴唇也沒有血色。她說道：「我心裡早已知道我父親已經去世了。」

他道：「這事我知道得很淸楚，能詳細告訴你，並且也能替你伸冤，就算家兄白沙洛反對，我也要做的。現在你和兩位同來，我心裡很高興，因爲兩位同來，不但可以保護你，並且可以證明我的言行，我們有了三個人，已經足夠和家兄白沙洛抵抗了。可是我們不需外人——警察——來參與，如果這件事被公衆知道，家兄必定會不答應的。」他說時坐在一張矮靠椅裡，看著我們，等我們的回答。

福爾摩斯道：「既然如此，無論如何，我不宣布這件事。」

我也點點頭。

他道：「很好，很好！蒙斯呑小姐，要不要喝一點香梯酒？還是托開酒？可惜我沒有好酒。」她搖頭推卻。他又道：「不要嗎？那麼，也討厭煙草嗎？我神經衰弱，不吸煙不能壯膽，所以把這水煙筒看成無價的鎭定劑。這煙出產在東方，沒有什麼惡味，諸位大概不會阻止我吧。」他自己拿了水煙筒，裝了煙吸著，呼嚕呼嚕地響著，這時候我們環坐成半圓形，用手支著下巴，靜候他說話。他坐在中央，油光的禿頂，偶然轉動，便和燈光一齊閃耀。

後來他說道：「當我寫信給你的時候，起初想要把住址告訴你，後來恐怕你們不明白，會和警察同來，所以決定不寫地址。我吩咐一個僕人威廉，坐了車子去迎接你們。我預先叮囑他，如果碰見警察，就不必迎接他們來了。這是爲了避免麻煩，不得不如此，我想諸位一定能夠原諒。我性喜安靜，不喜歡和粗俗的人——熱鬧場所的酒肉朋友們——來往，所住的地方也是十分淸靜，只喜歡美術、雕刻、繪畫等。但是這也是我的弱點。我這個身體，此刻好像陳列在美術館一樣。」

蒙斯呑小姐道：「歇爾托先生，時候已經不早了。你招呼我們過來，請你把要告訴我們的，簡單地說出來，不要再夾雜閒話了。」

他答道：「這事要花些時間的，我們應該一起到上那胡街拜訪家兄白沙洛，如果家兄不像以前固執，這事就容易辦了。我雖不懂事，但是凡是合乎公理的事，必定盡心去做，我覺得這件事我沒有錯，家兄郤竭力拒絕，所以昨天晚上，我們兄弟還大吵一架，家兄暴怒的時候，那種暴躁的樣子是我們所想不到的。不知道這時他的憤怒可減少一點了沒？」

我道：「如果眞的要到上那胡街，請快一點吧！」

薩迪司．歐爾托笑得耳根子都紅了。他又說道：「不！我如果驟然和你們去見他，家兄一定要罵我魯莽，或許會有野蠻的舉動，所以我們在沒見他以前，必須先明白我們間的關係和處境。這裡面還有幾點我也不明白，現在先把我所知道的告訴你們。我父親約翰．歐爾托少校，從前曾駐印度，十一年前退休後回倫敦。他的資產豐富，搜羅了許多東方的奇珍異寶，並有許多印度僕人供他使喚，那時他景況很好，就在上那胡街買了一所大屋，稱爲本迪邱利山莊。至於日用的奢華那就更不用說了，我和白沙洛是孿生兄弟，我父親只生我們兄弟兩個。蒙斯呑上尉回國忽然失蹤的時候，我們倆還小，然而因爲上尉是我父親的密友，我們見了報紙上的消息也覺得很奇怪，常在我父親面前討論這一件事，我父親有時也和我們一樣，做種種的猜測。誰曉得知道這祕密的只有我父親一人，大家不知道的他完全明瞭。但是這個祕密我父親始終沒有說過，只有一件事，我很覺奇怪，就是我父親不敢單獨出門。我父親自從住在本迪邱利以後就出高價雇用保鑣。其中一個是威廉，他是倫敦有名的拳術家，就是今天替你們趕車的人。我們見我父親常生活在恐懼中，我們雖不明白他所以恐懼的原因，可是我們斷定他一定是有什麼祕密。我父親對於裝木腳的人尤其注意戒備，曾經有一次，我父親忽然用手槍打傷一個裝木腳的人。那人受了傷，還好沒有死，仔細一看，原來是一個商人，是來查對帳目的，我父親給了一大筆醫療費方才了結。從此以後，我們兄弟倆常常私下議論，說：『父親如果不是發瘋，怎會如此？』誰知我們說他發瘋，其實並不是。一八八二年的春天，我父親忽然接到一封從印度寄來的信。他將信拆開後，神色大變，身體發抖，牙齒打顫，幾乎要昏倒。當時我們父子三人正在吃早飯。我們望見信上的字跡潦草，扭扭曲曲好像蚯蚓，並且沒有幾句話，但信中的語意怎樣我們卻不知道。我父親脾腫大的病已經好多年了，這件事讓他病情突然惡化，到了四月底，醫生便斷定他不行了，我們就到他房裡去，聽他最後的遺囑。到了裡面，見我父親倚在枕上，呼吸很急促，他先吩咐我們把房門鎖上，然後分立在病榻的兩旁，握著我們的手，一面喘息一面說話，似乎痛苦不堪。他說道：『我將要走了。可是有一件事讓我很愧咎，就是有關蒙斯呑上尉的孤女，我家所藏的寶物大半是上尉的，是我用強力奪來的，這件事實在是我平生的罪過。我把這些東西奪過來之後，又覺得累贅沒有用，但是我天性喜愛寶物，所以也捨不得分送別人，只想收藏，我實在愚笨極了。那邊藥瓶的旁邊有一串明珠，你們應該瞧見了。這珠子我早想送還給蒙斯呑小姐了，可是想了幾回，總捨不得。我希望你們幫我繼續把所藏的東西分送給她，以贖我的罪。但是只要我尚未斷氣，總是不忍見這些寶物落在別人的手裡，就是這一串明珠也應該等我死了以後方可送人。總之，我活著的時候既然做了惡人，現在雖已知道錯，只好壞人做到底。』略停一停，他再繼續說道：『我要把蒙斯呑上尉的死告訴你們。上尉素有心臟病，平常不肯告訴別人，因爲我們倆友誼極好，所以只有我一人知道。我們在印度的時候，意外得到了大批寶物。我退職的時候就帶回倫敦，上尉回倫敦的那夜，直接乘火車來看我，我家老僕拉爾·周達開門請他進來──現在這老僕也已死了。上尉和我相見，就想彼此均分所收藏的東西。我也很贊成，只是分派的成數意見不同。我們起初各持己見地辯論，後來破口大罵，上尉怒極了，就從座椅上跳了起來，揮拳要打我，不料在這個時候，他的心臟病忽然發作，剛離座椅，就用手捧住胸口，狂喊一聲，面色如土，跌倒在地上。他的頭恰好撞到收藏寶物的鐵箱，我走過去撫摩他，他頭受了重傷，已經死了。這時候我驚嚇得不知所措，只靜坐著細想。起初想，家裡不幸有了命案，應當去報案，可是又擔心，上尉的死，既是由於我們兩人的爭執，而且頭部有傷，又沒有人證，警方如果把謀殺的罪加在我身上，我還有什麼話說。況且兩人所爭執的是寶物，這寶物的來源又有嚴守祕密的必要。假使我報警，警方問我寶物的來源，不是我自己自投羅網嗎？想了很久，突然記得上尉來的時候曾經說過，今天來此沒有告訴別人，別人自然也不會知道。既是這樣，我就把這件事隱藏起來，別的人也無從來質問我了。就在這時候，我偶然抬起頭來，見老僕拉爾·周達正好站在門邊，推開了門，慢慢地進來。他偷偷地對我說道：「主人，不要怕，打死這個人沒有人知道的，不如藏去他的屍首，那麼，萬事都了結了。」我道：「我沒有打死他。」拉爾·周達搖頭微笑道：「主人！這件事我聽得很清楚，起初爭鬧，後來打架，聲音從這裡傳出去，早進了我的耳裡，主人何必要隱瞞呢？我的嘴會像塗上火漆印，決不宣傳出去的。此時家人都睡了，我們倆盡速合力藏去這個屍首，遲了恐怕有變。」那時我想老僕尚且不信我不是殺人犯，到了法庭上對質的時候，還有什麼可辯的呢？因此，當夜我決定和拉爾·周達二人合力藏去上尉的屍首。過了幾天，蒙斯呑上尉失蹤的消息，已經刊在倫敦的各家報紙上了。現在我已說明這事的始末，你們當然明白我的罪惡並不在上尉的死，而是在獨占他的寶物。我現在自知不久於人世，我死後，你們可以均分所有的東西，把一半給上尉的孤女，你們過來，我告訴你們，那寶物就藏在……』話未說完，我父親的臉色驟變，眼露兇光，兩顎震動，狂喊道：『快趕去這惡賊！天啊！天啊！快趕去這惡賊！』那種淒慘的聲音至今還在我的耳邊。當時我們聽見了，向四周看去，什麼也沒看見。依著他眼光所看的地方望去，見玻璃窗外隱約有一個人，白色的鼻子抵著玻璃，臉部有鬚而多毛，兩眼閃動，兇光四射，似乎要來逼害我們的父親。我們立刻衝出去，到了窗口，那人已經走了，等到回來看我們的父親時，他的頭已垂下，脈搏已經停止，從此一去不返了，這天晚上，我父親就棺殮了。後來我們走到園裡，要找那怪人的蹤跡。沒多久，我們便發現他們不只一人，必定在附近設立了祕密機關，合力來謀算我們的父親的，因為第二天的早晨，我父親房裡的窗戶忽然洞開，箱籠都被翻得凌亂，可是沒有丟失一件東西，我們覺得很莫名其妙，來的人是誰卻無從猜測。我和家兄因此認爲我父親生前一定有什麼祕密，這個祕密至今還沒被揭露呢。」

薩迪司・歇爾托說到這裡，略略停頓，舉起手裡的水煙筒來連吸了幾口。我們三人聽了這奇怪而出乎尋常的故事，都被他吸引住，默坐著一句話都沒說。蒙斯吞小姐聽見他父親死時的情狀，格外悲傷，臉色慘變，幾乎暈倒。我從桌上的一個意大利式玻璃瓶裡倒了一杯水給她喝，她才逐漸恢復。歇洛克・福爾摩斯把背靠在椅子上，眼瞼下垂，灼灼的目光只露出一半，這是因爲他的精神已經深深地進入案情，所以神色也有了改變。我看他的樣子，想起他平時常愁著沒事勞他，現在既已有了這案件，正好可舒服一點了。薩迪司看了我們一遍，見三個人神色各各不同，臉色很得意，似覺得他講了一個有趣的故事，居然使三個人都很出神傾聽，足堪安慰、驕傲了。

後來他一面吸著水煙，一面繼續說道：「我們兄弟倆既已知道了我父親有寶物，都很激動，就把園裡各地都掘開來盡力搜索，然而經過了幾個月，始終沒有結果。我們一想起父親正要把收藏寶物的地點告訴我們，話已到了嘴邊，忽然被那怪人阻住，眞是憤怒得幾乎發狂。又想到光一串明珠，價值已經不小，然而這一串明珠，當時也是各有意見。家兄的做人與父親一樣，他覺得珠子的價值連城，就有些戀戀不捨。並且恐怕這珠子一經脫手，或許另外惹出禍來，釀成不良的結果，所以屢次和我辯論。我總以父親的意思竭力抵抗他的說法，爭執了好久，方才爭取到在報紙上登一則廣告，徵求蒙斯呑小姐的住址，後來又按照一定的時間，寄一顆明珠給她。這一片苦心，是要完成父親的宿願，也怕她有所需用，所以幫助她。」

我的同伴道：「你這個舉動很好，我們十分感激你的盛德。」

那矮小的人舉起他的手來，揮著道：「我雖然有這種想法，可是家兄並不贊同。我們兄弟倆資產極富，已不需再錦上添花了，而且像蒙斯呑小姐的遭遇，如果有點良心的人，決不忍淡漠不問的。所以我堅持和家兄抗辯，以求我良心的安適。當時我們二人爭執十分劇烈。我不願意再和家兄同住，發狠獨造了一所住宅在這裡，帶兩個僕人在身邊，一個是威廉，一個就是守門的印度人。我們已在這裡住了好多年了。昨天，方才得到一個重要的消息，說是我父親所藏的珍寶已經被家兄尋獲。我聽了很高興，因此立刻寫信給蒙斯呑小姐。我昨天晚上去見家兄，告訴他必須和蒙斯呑小姐均分，家兄不肯，弄到鬧起來。現在我們同去，預料家兄可能也不會有禮的對待。」

薩迪司說完了，我們三人都默坐著思慮，福爾摩斯第一個站起來。

他道：「這件事從頭到尾都靠先生仗義相助。這中間的祕密，你至今雖還沒完全知道，但等我們偵探出來以後，也許可以報答你。但是蒙斯呑小姐不習慣深夜奔走，假使我們果眞要到上那胡街去，請快一點吧。」

我們的新朋友就放下了他的水煙袋，到錦帳後面，披上一件長厚的外套。那大衣的領口袖口都是皮做的，扣緊了就不透風。帽子是一頂兎皮軟帽，他翻下了左右的帽簷，因爲外面的風很冷，他不能不保護得周到一點。

這時候車子已經在門外等，車夫早就得到了主人的命令。我們剛走上車，車夫並不問話，便揚鞭快走，車輪軋軋的聲音不絕於耳。但薩迪司・歐爾托的談話聲卻還高出車輪之聲。

他說道：「家兄白沙洛也很聰明，諸位要知道他怎樣得到寶物的嗎？他尋遍了園地，既沒結果，就想寶物不在園裡，必定在屋內，因此屋內任何空隙他都加以搜索，他計算全屋的面積，檢察中間可有夾層，最後他算出屋高七十四呎，但每層加起來總計不過七十呎，餘下的四呎卻不知道在那裡，他猜想，寶物必定在這一部分。他把最高的一層拆去天花板，果然看見中間有一個小小的閣樓，這閣樓塵封已久，家裡沒有人知道。閣樓的中央有一個小箱子用兩根木頭架起，他將箱子弄下，打開來一瞧，寶物都在那裡，算一算它的價值大約值五十萬金鎊。」

我們三人聽見這五十萬金鎊的數目，彼此驚訝地看著。我想現在的蒙斯吞小姐只不過是一個自食其力的女教師，如果眞的把五十萬金鎊的一半給了她，一眨眼，就成了倫敦最富有的遺產繼承人了。做爲她的朋友，聽了這樣的消息，怎麼不快活？然而我當時的想法未免爲私心所制，現在說出來覺得也很慚愧，我心裡好像被什麼梗住，嘴裡雖還勉強對她作敷衍的道賀話，但我的頭已低下，好似逢到了不幸。以後我那新同伴所說的話我聽了不十分明白，因爲心思不專，聽了也不入耳。一會兒，薩迪司又說他的身體多病，著實受累，因此從小皮篋裡摸出幾張祕傳而不可靠的藥方來請我評量，我模模糊糊答了幾句，眞希望他能忘了我那天對他說的話。據福爾摩斯說，曾聽見我叮囑他若服了兩滴以上的蓴蔴子油是非常危險的；我卻記得我曾對他過，若服多量的木鼈精可以止痛安神。總而言之，我當時說些什麼，我自己也不知道。但等到我們的馬車突然停止，車夫跳下來開車廂門的時候，我便覺得如釋重負。

薩迪司・歇爾托先生對她說道：「蒙斯呑小姐，這裡就是本迪邱利山莊了。」說完就扶她下車。

第五章　本迪邱利山莊的悲劇

當我們到這冒險歷程的終點的時候，已近十一點鐘了。四周非常冷清，景象絕對與城市間的黃霧彌漫不同，溫風從西面吹來，烏雲已散，半圓的新月從雲隙間透出，風景很好，就是遠望也都清楚。薩迪司・歇爾托非常殷勤，將車燈提在手裡，做我們的嚮導，看起來格外明亮。

本迪邱利山莊是一所大屋，突出平地，四邊有很高的石牆環繞，是出入必經之路。薩迪司・歇爾托舉手在門上輕輕地敲了幾下。

有一個人在裡面發怒似地問道：「是誰在敲門啊？」

「麥克曼，是我啊！深夜到這裡來，不是我還有誰？」

問的人喃喃地抱怨，接著就有鎖鑰格格的聲音，門霍地開了。麥克曼站在門口，身子瘦小，臉上已有皺紋，手中執著一盞燈，放出黃光來，兩眼灼灼，照著燈光，格外可怕。

「薩迪司先生！是你嗎？但他們是誰？沒有得到主人的命令，原諒我不能讓他們進來。」

薩迪司驚異道：「你不讓他們進來嗎？這件事奇怪極了。我昨夜來過，就對我哥哥說明今天要和幾個朋友同來，他是不是發昏做夢，怎麼不預先告訴你呢？」

「主人今天沒有出房門一步，我也沒有預先知道，主人治家的嚴格，你是知道的。你可以先進去，你的朋友姑且在門外等，好嗎？」

薩迪司因爲沒有想到這一層，似乎很窘，

呼叱他道：「麥克曼！你竟敢如此！不管怎樣，一切由我負責，這樣深夜，怎可讓我的朋友站在門外呢？」

守門的仍堅執道：「這件事很抱歉，薩迪司先生！你的朋友未必就是主人的朋友，主人雇用我，我只知道服從主人，你的朋友，我都不認得。」

福爾摩斯忽地在後面冷冷地說道：「麥克曼，好了！好了！你就算不認得別人，未必會忘了我。你可還記得四年前和你在亞烈生屋內角力，三次方分出勝負的人嗎？」

麥克曼道：「那麼，是福爾摩斯先生嗎？請原諒我。要不是你站在黑暗的角落，我就是不問，也能夠認得你。你的體力和拳擊眞是厲害，你若繼續下去，在這一種技術上的前途無限啊！」

福爾摩斯笑著對我說道：「華生，我若在別的事業上失敗，還有這一種職業可以幹哩。此刻想必我的朋友不再拒絕我們，教我們在門外吹冷風了。」

麥克曼道：「請進來！請進來！你和你的朋友都可以進來，薩迪司先生，請你原諒我不得已的苦衷，實在是主人治家嚴格，並不是我作威作福啊。」

我們到了裡面，覺得十分冷清，沒有什麼生趣。房屋雖多，燈火極少。並且樹木參差，枝葉遮蔽，月色也不容易透下來。我們走在這中間，好像已進了墳墓，心裡不停地驚恐。薩迪司．歇爾托也不快活，手裡所提的燈時常在那裡顫動。

他道：「這事讓人不明白，這裡面也許有什麼錯誤。我曾經告訴哥哥，說今夜我們一定會來。他的窗戶裡也不見燈光，眞是奇怪。」

福爾摩斯問道：「令兄門禁這樣嚴密，平日也是如此的嗎？」

薩迪司道：「是的！哥哥很像父親，我父親在世時，對待我們兄弟倆有些偏心，往往把不肯告訴我的話都告訴哥哥，哥哥也就因此獨得我父的遺傳。試瞧那邊樹葉稀疏的地方，透出一線月光，映到窗上的那間就是哥哥白沙洛的房間。雖然窗外月色淸明，窗裡卻黑暗得很，似乎沒有燈火。」

福爾摩斯道：「是啊！但是那門邊的小窗裡，有微火一點，隱約可見。」

「這是管家柏史頓太太所住的地方。請你們稍等，我先去問問她，並且把你們的來意告訴她，否則這老太太見諸位突然到來，一定要驚駭的。」

話沒說完，忽然在這沈沈的深夜裡，傳出一陣慘痛斷續的女子呼叫聲。

薩迪司驚訝道：「什麼事啊？」他說時高舉著手裡的燈照著，卻沒有看見什麼，只有燈光照在他身上動盪成了圓形。那時蒙斯呑小姐已經嚇得面如土色，緊緊握著我的臂膀，不敢出聲。我和福爾摩斯側身細聽，這聲音持續了好久都沒間斷。

薩迪司道：「園裡沒有別的婦女，這一定是柏史頓的聲音，諸位稍等，我去了就來。」他很快地走去，急忙敲門，我們看見有一個身材高大老婦開門迎接他。

老婦道：「原來是薩迪司先生！你能來太好了！」說完了就引著薩迪司到裡面去，然後關上房門，所以說話聲也模糊不能辨。

我們的嚮導人把車燈交給我們。福爾摩斯

舉起他手裡的車燈，四面遍照，見地上有不少泥土瓦礫堆，幾乎阻塞通路。蒙斯呑小姐緊緊握住我的手，並肩站著，一點也沒有顧忌。愛情這東西，原是最奇怪而不能用常理比喻的。我和她在那天以前，既沒有一面之緣；見了面，也不過幾小時，始終沒有一字說到愛情，就是眉目間也沒有這樣的表示；可是到了患難的時候，兩心相合，兩手就自然而然地接觸了。事後回想起來，覺得當時的舉動未免有些冒昧，然而在當時的處境，若不這樣，又不能算盡職。她後來也屢次對我說過，那時她心中也把我當做安慰和保護的人看待。所以那時我們倆的情狀，在不知不覺中就像小兒女般互相依賴，環境雖是黑暗可怕，心裡似乎有恃無恐。

她朝四面看了一遍，說道：「這裡何以如此奇怪？」

我道：「地上很多洞穴，很像是由田鼠所穿鑿的。爲什麼呢？」

福爾摩斯道：「他們尋覓寶物，已費了六年功夫，地上怎會沒有洞穴？」

那時門忽又開了，薩迪司喘息奔出來。

他告訴我們道：「白沙洛一定出事了！我實在感到很恐怖。」他說話的時候，驚慌得很，似乎已不能支持了。

福爾摩斯道：「什麼事？到了裡面再說，好嗎？」

薩迪司道：「可以！我也無法詳細說，管家老婦可以完全說明的。」

我們就跟他走進管家婦的房裡。那房間在通道的左面，管家婦正在裡面徘徊著。她分明在那裡思慮，心裡急得什麼似的，但一見了蒙斯呑小姐的臉，這老婦似得了一種安慰。

他瞧見我們進去，便惻然說道：「諸位神色很好，希望上帝給你們福佑！我嚇得抖了一天！諸位到這裡來，可以給我福佑了。」我們的同伴立刻用溫和的話安慰她，並且問她所見的事。管家婦聽了，神色果然略略舒展了些。

她說道：「主人今天自己鎖上了門，不許我進去，並且整天都沒有呼喚我。我因他性喜獨居，憎惡人們的驚擾，也不以爲奇。但是在一個鐘頭以前，天色暗了，他還是沒有動靜。我怕他有什麼變端，輕輕地走上去，在鑰匙孔裡看他。啊！薩迪司先生！你快點自己到樓上去看吧！十年來主人喜怒哀樂的臉色我也看慣了，今天的樣子，卻從來沒有見過。」

福爾摩斯立刻提了燈往前走去，要上樓瞧瞧他的樣子。他留蒙斯呑小姐在管家婦的房裡，而我和薩迪司也一同上樓。薩迪司素來膽小，現在聽了管家婦的話，全體顫抖得更厲害，牙齒也不斷打顫。我拉著他就走，但他已經嚇得腳軟，走一步就費許多氣力。福爾摩斯一邊走著，一邊拿出放大鏡來，低下了頭，在燈光下仔細地查察每級樓梯所鋪的地氈上的腳印。這些腳印已經不成形狀，依我看來，一點也沒有察看的價值。他卻張大了眼，竭力地偵察，還怕有所遺漏，所以一步一步走得很慢。

那樓梯共有三節，三節走完，便是一條甬道。甬道也很長，右壁懸掛著一幅印度製的絨畫，面積很大，左壁並列有三扇門。福爾摩斯走上甬道，仍舊低頭察看腳印。我們默默地跟在後面，彼此的腳幾乎相接。燈光在前面，我們長長的身影都往後投射在通道上。後來到了第三扇門，薩迪司就說：「哥哥白沙洛就住在這裡。」福爾摩斯用力地敲著，沒有回應。又旋轉門上的門鈕，已下了鎖，也打不開。於是舉起了燈，從鑰匙孔裡望去，剛一望便驚駭地站起來。

他氣息短促地呼吸著，對我說道：「華生！這裡確實可怕！你快看。」他平時總是很沈著，現在忽然變了常度，因此知道裡面的變端，必定可怕。

我從鑰匙孔中望去，也不禁大吃一驚。房內沒有燈火，月色透進窗來，暗淡可怕，隱約可見一個人的臉，頭頸以下沒在黑暗裡，一點也看不出來。那面目兇惡異常，對我慘笑，似乎非常憤怒，他頭頂也禿了，頭髮也是紅的，面頰憔悴得毫無生氣，骨架大小，沒有一樣不像薩迪司。如果他不和我們同來，我必定以為房內的人就是薩迪司。後來一想，這兩人是孿生兄弟，容貌相同，原也不足為奇。

我就對福爾摩斯說道：「房內的景象非常可怕。」

他道：「我也不明白。若不開了這門，疑竇終究不能解。」因此他竭力推門，格格地響了一陣，仍舊不能推開。於是我們又合力地推，砰地一聲，門鎖斷了，門也開了，我們就走進白沙洛·歇爾托的房中。

這屋子很像一間化學試驗室，面對門的壁櫥裡陳列著兩排玻璃藥瓶，都有木栓封住；桌上放著酒精燈、試管、蒸餾器等的東西。房屋的角落有許多藥水瓶，瓶外有籐絡，其中一個已經破了，藥水流出來，是黑色的。房內空氣中有柏油的惡臭。房屋的一邊，立著一個小梯，天花板的中央，有一個洞，大小只夠容納一人；梯腳有一根長繩，零亂的放在地上。

桌邊有一把木做的扶手椅，主人白沙洛蜷

白沙洛●歐爾托的死

曲著，和尋常的死狀不同，死者桌子附近的地方，有一件奇怪的器具，形狀像槌，柄棕色，有細粒凸起像米一般，頭是石頭做的，用粗鐵絲盤著。槌的旁邊有半張破紙，寫著幾個潦草的字在上面。福爾摩斯拿來後就給我，說：「你看！」

我放在車燈下一看，乃是「四簽名」。我禁不住狂喊道：「天啊！誰能知道這幾個字的意義呢？」

他注視著死者的身體，說道：「這是謀殺！」他說的時候，用手指著死者的太陽穴，又道：「瞧！眞不出我所料。」我依言瞧時，看見一根黑色的長針刺進裡面去了。我因道：「這是一個樹刺啊。」

「這雖是樹刺，卻非常毒。你可以拿出來，但是須謹愼些，不要觸著了毒。」

我用拇指和食指把它拔出來。樹刺才取出，皮膚的傷口已經合攏不見。只剩一小滴血的痕跡。

我道：「這件事奇怪極了。我越探越疑惑，越模糊了。」

福爾摩斯回答道：「我卻和你相反，我覺得案情愈來愈淸楚了，只是還有幾個環節不明，假使被我找到了，全案就可以破了。」

我們進了房間後，積極地搜尋房內的各角落，幾乎忘了那個同來的同伴。薩迪司已經嚇得發抖，呆立在旁邊，喃喃地囈語，不管我們的事。

那時，他忽然慘呼道：「寶物已經完全不見了。殺我兄長的，必定就是偷寶物的賊。那寶物本來是放在這房內的閣樓裡的。昨天晚上，我和哥哥合力鑿破了天花板，方才弔了下來。事畢以後，我就告辭，下樓的當兒，還聽見哥哥鎖門的聲音。但誰知就此長別了呢？」

福爾摩斯問道：「當時是什麼時候？」

「大約是十點鐘。現在他已經死了，警察如果來了，必定會懷疑我有分兒的，就是兩位也未必能夠明白我的冤屈，或許也要疑心我謀殺哥哥，才去請兩位來遮掩。天啊！我要是無法替自己辯護，必定要瘋了。」他邊說邊敲著胸脯，急得踏腳，號啕大哭不止。

福爾摩斯拍拍他的肩膀，安慰他道：「歇爾托先生！不要怕，你沒有害怕的理由，姑且聽我的話，坐了車子去叫警察來，你應盡力幫助警察偵探，我們在此等你。」

薩迪司點點頭，就含淚出去，在黑暗中下樓而去。

第六章　福爾摩斯所得的證據

福爾摩斯摩擦他的手掌道：「華生，現在我們有半小時的時間，應當好好地利用它，不要浪費了。這一件事，我雖已掌握到重點，但還不敢過分自信，因爲這件事表面雖然簡單，裡面似乎有深奧不易猜測的地方，不能就此滿意的。」我道：「你說這件事簡單嗎？」

他淡淡的像講學老師回答他學徒一般說道：「很簡單，很簡單。你姑且靜坐在角落，不要走動，以免亂了賊的腳印。我要著手了，第一，我要查究賊的來去蹤跡。昨天夜裡門既然沒有開，賊必定是從窗裡進來，我要研究這窗子。」他就提了燈在窗邊細看，又把所見的告訴我道：「這窗是向裡開的，質料很堅固，兩邊沒有合葉。我要開窗了，窗外沒有水管可以攀緣，窗戶離屋簷很遠，人們也不可能從屋頂下來，昨夜下雨，窗檻上有許多污泥腳印。這裡有一個污泥的圓印，地板上也有一個印，桌上也有一個印，華生試瞧，這裡有更重要的證據。」

我順著他所指的地方看去，說道：「這不是腳印。」

「這是一根木杖的痕跡，它比足印還要重要。試看窗檻上有一個明顯的粗重腳印，腳闊、鞋跟鑲鐵，緊靠著旁邊的卻有一個木杖的印。」

「這必定是一個裝木腳義肢的人。」

「是啊！但是應該還有一個行動敏捷的人幫助他。醫生，你自問能夠從平地上驟然上樓嗎？」

我探出頭去，向外四望，月光明亮地照射屋子的一角。從窗到地，足足有六十呎高，牆上既沒有可搭手腳的地方，又沒有磚縫可以攀爬，因此我答道：「決不能上來的。」

「如果沒有助手，確實不能上來。可是假使有一人先進了這房，把剛才在梯腳旁瞧見的長繩的一端結在牆上的鐵鉤上面，又把另外一頭垂下地去，那麼，只要你兩手有力，就算裝了木腳，也可以緣繩而上，等到你進了房內，你的朋友解去鉤上的繩，再關窗幹事，等辦完了事，又如法泡製一番，但是細細察看那裝木腳的人，雖是擅長攀登，也不算熟練，遠不及升桅杆的水手敏捷。」他便指著梯腳下的長繩，道：「我曾經用放大鏡驗看這繩子，下端隱隱有血跡，足見這人不是慣常做這種事的。那人在下樓的時候，匆忙間磨破了手。」

我道：「是啊！這件事經過解釋就明白了。但是還不知道他的同伴從那裡進來的？」

福爾摩斯道：「案中疑竇，就在這一點。這種案件，在英國不易碰見，印度一帶或許有的。」

我道：「門關窗閉，或者是從煙囪裡來的？」福爾摩斯道：「不！煙囪裡鐵格狹小，不能容人，我早已想到，剛才也已經查察過了。」

我道：「那麼，究竟是怎樣呢？」他搖頭道：「你怎麼忘掉了我以前所說的話？我曾經說，凡事除去不可能的，可能的情形自然可見。門窗、煙囪既然不是他能夠進來的通道，房內又沒有可以躲匿的地方，那必定是從別的地方進來的了。」

我道：「是從屋脊裡鑿洞下來的嗎？」「當然！除此之外，那裡還有別條路？你替我提了燈，我要和你同登這收藏寶物的閣樓，看看它的樣子。」

他就把燈給我，取過房內的小梯，靠在天花板上所鑿的洞口，一級級地走上去，我也跟著上去。到了洞口，福爾摩斯先用兩手緊緊握住洞口的橫木，翻身進洞，伸出手來接我的燈，我也依樣翻身上去。

我們到了裡面，見那閣樓很小，長約十呎，寬約六呎。下面托著橫木，中間鋪著薄板，人們走在上面必須步步踏著橫木，方才沒有危險。閣樓是尖角形，一看便可知道這是全屋最高的地方。閣樓裡都沒有陳設，灰塵積得很厚，好似十幾年沒有灑掃過。

他提燈在手裡，約略看了看四壁的模樣，就指著一個斜壁對我說道：「這是一個有機關的小窗，窗外就是屋頂。」他就打開那窗，又道：「你可瞧見那屋頂雖是斜坡形，但斜度極緩並且勻整，可以行走？我料定那人的朋友必定先從這窗裡進來。現在須要辨認他的腳印，決定他是什麼樣的人。」

福爾摩斯說到這裡，把燈向下照著，橫木的上面，堆積灰塵的中間，果然有無數赤足的腳印，那腳印很小，長不及平常人的一半。他見了十分驚訝，我也感到奇怪。

我低聲問道：「福爾摩斯！難道這一件可怕的事是一個小孩幹的？」

福爾摩斯神色略定，答道：「我爲什麼如此健忘？這種腳印，猛然一見很覺奇怪，其實也很尋常。現在這閣樓裡已經沒有什麼要搜尋的了，應當快點下去，慢慢地想捉拿盜賊的計策。」

我們走下來之後，我問道：「你見了這種腳印，

我低聲問道：「福爾摩斯，難道這一件可怕的事是一個小孩幹的？」

有什麼看法？」

他道：「親愛的華生！我們相處這麼久了，我所探索隱祕的工具你也都已經約略知道，這件事如果你能夠想得周到一點，便不難明瞭了。」

我道：「我的推斷力很差，就算把證據告訴我，恐怕還不能完全明瞭呢。」

他露出厭惡的表情，冷冷地說道：「待會兒你就可以知道，暫且不要多說。現在這房內的重要線索，雖已都被我尋到，但我還要再搜查一下哩。」他從衣袋裡拿出放大鏡和一根量地的繩索，跪著在地上走。他一邊量，一邊察看，幾乎一點塵埃，也要揣測。他的鼻尖離地不到幾吋，很像獵犬在尋找野獸，他炯炯的目光定注在地上，眨都不眨，又像老鷹捕燕雀一樣。我在旁邊看了，不禁暗暗吃驚，暗想他這樣精細，假使不做偵探，而是個作姦犯科之人，那有誰對付得了他呢？福爾摩斯伏著察看了很久，嘴裡喃喃自語，最後發出一聲歡呼。

他忽然說道：「我們運氣好！這裡有一瓶柏油，瓶子已碎，油流出來。那小腳的人不幸踏了這油。油的旁邊還有一個腳印。我們得到了這個，可說破案指日可待。」

我道：「得到了這個，全案就能夠破了嗎？」他道：「這油極臭。我的朋友有一頭犬，嗅覺極敏銳，就是到了世界的盡頭，也能夠憑著鼻子去尋找。如此，盜賊還可以遁逃嗎？所以這件事可說已有了九成的把握。」

這時忽然聽見樓下的人聲、腳步聲非常喧雜，客廳的門也砰地開了。

福爾摩斯呼道：「警察到了，你且趁他沒有來的時候，摸摸看死者的四肢。」

我摸了一遍說道：「身體僵硬而冰冷，好像堅硬的木頭。」

「人死了很久，難怪僵冷如木了。但是四肢失去常態，面目是猙獰的慘笑，既不像尋常的死，又和暴斃不同，你可猜到他是怎麼死的嗎？」

「這個人的死必定是由於植物中某種有機性鹽基毒物，像『番木鱉鹼』之類。這東西的毒性極強，能夠使死者肢體蜷曲，好似痙攣。」

「是啊，我進來一見死者的樣子，就料到這一點，後來再細看毒質從什麼地方進去，結果找到一根刺，那是一根尖銳的刺。從遠處刺進他的太陽穴去。我想那小腳的人從屋頂下來時，主人白沙洛必定坐在這扶手椅裡，在做什麼事情。那賊就從天花板的洞口把毒刺射下，殺死了他，然後再引那木腳的人到樓上，把寶物完全劫去。你看看這刺就知道了。」

他把刺拿給我，我在燈光下驗看，那刺是黑色，尖而長，尖頭沾著藥，彷彿像沾上膠水已經乾了。那較鈍的一頭用刀削成圓形。

他問道：「這刺是英國的嗎？」我道：「不！英國的植物沒有一種像這麼長的刺的。」

他道：「既然如此，你已得到了頭緒。照此去探尋就可以破案了。」

我們正在說話的時候，腳步聲漸漸的近了，已經到了門外的通道中間。

他又道：「警察來了。我們應當退避，不要和他們爭功。」

福爾摩斯說話的聲音沒完，就有一個穿灰色衣服的人蹣跚地進來。那人面孔很紅，眼睛很小，舉止極可笑，兩眼不停轉動，眼光閃爍。跟在他後面的是一個穿制服的警察，再後就是那個薩廸司。

那灰衣的警探走了進來，狂喊道：「這裡出岔子了！這裡出岔子了！你們是什麼人？怎麼進來？這裡亂得像兎窟！」

福爾摩斯冷冷地道：「艾斯耳·瓊司先生！怎麼，不認得我了？」

瓊司一聽他的聲音，就換了一副面孔道：「啊！你是大理論家歇洛克·福爾摩斯先生，我那裡會忘記！從前皮旭柏克的寶石案得到你理論上的幫助很多！」福爾摩斯道：「前案容易得很，何必掛齒呢！」

瓊司道：「這案子完全是實際的事，似和理論沒有多大關係。方才我因別的事情，到上那胡警局，後來聽到死者的弟弟來報案，就跟著同來。想不到你已經先知道這件事。你既是先知道了，能夠斷定死者何以暴斃嗎？」

福爾摩斯乾笑道：「這事很難，恐怕不是我用理論能夠解決的。」

「你不要故意刁難，你有時的確可以一語道破。現在這件案子，房門既是關著，卻損失了五十萬鎊，窗戶查看了嗎？」

「窗也緊關著，只有窗檻上略有腳印。」

瓊司道：「窗既是關緊著，腳印也許就不重要。因爲窗檻上略有腳印也是常有的事，怎能把它認做案中線索？我想人有時會因爲盛怒而死，白沙洛或許就是盛怒而死，但是寶物遺失了，又是爲什麼呢？啊！我知道了！薩迪司・歐爾托先生，你且到外邊去一下，我要和福爾摩斯商量。福爾摩斯先生，你的醫生朋友也可以留在這裡。」等到薩廸司出去後，瓊司又道：「福爾摩斯先生，我想白沙洛必定是盛怒而死，死了以後，他的弟弟薩廸司把寶物都拿走了，因薩廸司自己曾說，昨夜到這裡來過。你以爲對嗎？」

「照你的話，那麼，死者等他弟弟走了，才又起來自己鎖門的？」

「這就是我百思不解的地方。但是無論如何，薩廸司總不能完全無關。我們試想想，昨夜白沙洛和他的弟弟爭鬧，我們已經知道了，現在白沙洛死了，寶物丟了，也是我們所知道的。當薩廸司離開後，就再也沒有人見過白沙洛了，白沙洛的臥榻又沒有移動，可見白沙洛必定死在睡覺以前，決不是睡眠以後被人殺死的，他既是死在睡覺以前，那麼，殺他的人，除薩廸司外還有誰？並且我曾經仔細觀察薩廸司的神情，心神恍惚、舉止不安，假如他沒殺死他的兄長，爲什麼如此？我現在要四面張網，準備捕捉這殺人的賊，薩廸司就是再狡猾，如何能夠逃出我的法網呢？」

福爾摩斯道：「你的假設推理很好，但就實際情形看來還不能完合符合。死者太陽穴有一根毒刺，桌上還有一張紙，所寫的都不可解，紙旁還有一個石槌，樣子也很奇怪。假使你的推理正確，這些奇奇怪怪的東西又要如何安放到你的理論中去呢？」

那肥胖的便衣偵探忽正色答道：「這有什麼稀奇？房內印度的物品既多，怎知薩廸司不是就用這印度毒刺殺死他哥哥的？至於那石槌、紙片，看來都是和案情無關的東西，薩廸司不過藉此迷惑人們的耳目罷了，假使我們能夠知道他走出去的路，薩廸司就百口莫辨了。啊！有了，那天花板中央竟有一個洞。」瓊司說的時候，快活得要跳起來，立刻把梯子放好，一級一級的走上閣樓。我又聽見他喃喃自語，似乎很得意，我知道他很高興他找到一個窗戶。

福爾摩斯低聲對我說道：「這人有時聰明，有時糊塗。他到了閣樓以後，或許也能夠有所發現。」一面說，一面聳聳他的肩膀。

一會兒，瓊司已經下來了，他說道：「閣樓裡面有一個窗戶，外面通屋頂，現在窗子半開著。」福爾摩斯道：「開窗的是我。」

瓊司神色略顯沮喪，就說道：「眞的嗎？你也已知道了嗎？」接著又說道：「但是無論

開的人是誰，我們的那位朋友必定是從這窗戶逃出去的。」他因此高呼道：「警察先生！」那警察就從通道裡答應道：「是！先生！」瓊司道：「請帶薩廸司．歇爾托進來。」兩人進來後，瓊司嚴厲地說道：「歇爾托先生，你現在已經無法抗辯了，我警告你，只要你一開口就會對你不利。我現在依英國法律逮捕你，要治你殺兄之罪。」

薩廸司嚇呆了，不敢再動，兩手垂下，眼光注視在我和福爾摩斯兩人。他斷續地說道：「兩位，怎樣？我早已料到如此的。」

福爾摩斯忙安慰他道：「不要怕，我一定會替你洗刷這個冤辱。」

警探瓊司冷笑道：「大理論家先生，不要輕易答應這人。這人罪狀顯著，你雖富有理論，恐怕理論有時也會窮盡呢。」

「我非但要替他洗冤，並且還要把罪犯的姓名、特徵告訴你。我知道犯案的共有兩人，一個人我想名叫強納生·史毛爾，這個人沒有學問，身體高大，右腳已斷，裝著一隻木腳，左腳極大，五趾並列成方形，鞋跟鑲著馬蹄鐵，是個中年人，曾經犯過罪，臉被太陽曬得非常醜黑。瓊司先生！我想有了這幾點，對你或許有些益處。另一個……」「啊！還有一個嗎？」

歇洛克·福爾摩斯轉身答道：「還有一個，說起來更奇怪，目前我雖沒辦法說，不久總能把這兩個人告訴給你。華生！我還有一句話告訴你……」

他引我走出房來，到了樓梯口，說道：「發生這樣意外的事，已和我們到這裡來的本意大相違背了。」

我回答道：「是啊！我也這樣想，我認爲蒙斯呑小姐不宜久留在這裡。」

「沒錯，她住在西西爾·弗來司特太太家裡，在下根勃威爾街，離這裡不遠。你可以先送她回去。假使你願意再來，我可在這裡等你。但是你覺得疲倦了嗎？」

「並不覺得疲倦。我如果沒得到這件事的眞相也不想休息。我平時所見，都是社會的表面，但這件事變化多端，不可猜測，我的心思已受擾亂，因此我窮究這件事的心格外堅決。」

「你若來，便能夠幫助我。現在我們得私下進行，瓊司眞是個狂人，不能商量，聽由他做夢吧。你送蒙斯呑小姐回去以後，再到品欽巷三號，那裡靠近倫伯司街，沿河道下去，右邊第三家是一家飼養鳥獸的店鋪，鋪主叫休門，店鋪的窗上畫著一個鼬鼠捉兎的圖形，你到了那裡，可以敲門喊休門，說是我要借托別一用，你就把托別放在車上，一同帶來。」

「托別是一隻狗嗎？」「是的，托別嗅覺非常敏銳。我寧可靠托別鼻子的幫助，還比那些倫敦的警探得力得多呢。」

我道：「遵命！現在已經一點了，假使馬太慢，三點鐘可以回到這裡。」

福爾摩斯道：「好，我也要下樓詢問印度僕人和管家婦柏史頓太太。據薩廸司告訴我，那印度人昨夜睡在隔壁屋頂的閣樓。瓊司自大貪功，我只有冷眼看他了。」

第七章　柏油桶

警探來的時候坐了一部馬車，那時車子停在門外，我就用這部車送蒙斯呑小姐回家。她非常溫柔，好似天上的天使，鎮定的功夫也很強，當她坐在管家婦房內的當兒，一定揣度這管家婆既然十分驚恐，支持的力量必不如她，所以便竭力鎭定自己的心，不讓她的臉色露出一點怯弱的表情來。我走進去的時候，還瞧見她沈靜地和管家婦對坐著，一點也不像被外界的恐怖圍繞的樣子，可是到了車上以後，她就無法再忍耐了，起初頭暈，後來嚶嚶地低泣，末了低聲責備我道：「這次非常險惡，你爲什麼這麼冷淡，不哀憐我的孤零，給我一些安慰？」這句話我承認，但是她那裡知道我內心的掙扎和克制，因爲天底下男子，沒有不想用情於女子的，所以家室的觀念和渴望對我來說也很重要，我的性情並不奇怪，怎會反背這條常理？只是我一直陷入掙扎當中，後來自我克制的力量，不肯放任我流露愛情，我只好將感情隱藏起來，其實我在園裡和她握手的時候，愛情已經隨著手傳到了她的手裡，不過我還是不敢冒昧地說出來，因爲她剛受到困難，孤苦伶仃，沒有人可以依靠，加上今夜這一趟，她的心神都都受到極大的刺激，我如果在那時冒然向她求愛，那無異是乘人之危，這樣，我能安心嗎？還有最壞的情形是假使福爾摩斯眞能夠破案，那麼，不久她就成了個富婆，而我卻只是一個領半俸的軍醫，如何配得上她？況且她未必不因此鄙視我呢？所以雖說有這樣責備的話，我總不敢冒險開口。因爲這阿克拉寶物，實在是我們倆中間的一大障礙。

將近兩點鐘時，車子才到西西爾・弗來司特太太的門前，僕人們都已睡了，弗來司特太太卻還在燈下坐著等候，因此自己出來開門，她是個中年人，容貌很慈善，一見了蒙斯呑小姐，就笑臉迎人，又來攙扶她，聲音好似慈母對愛女一般。我很快活，暗想她雖是在弗來司特太太家裡服務，能在無依無靠時得到這般待遇，足堪安慰了。我憐憫她的孤零，嘴上雖不說，心中也十分感激弗來司特太太。後來她把我介紹給她，弗來司特太太就請我進去坐了一會，又要我把所見到的事告訴她，我因道：「現在因爲事情很緊迫，不能多浪費時間，我希望他日再詳細講給你聽。弗來司特太太，你不要掛念，我們會竭力去做，並且一有時間，就來報告。」我說完了，就告辭登車，偶然回過頭去，還見室門半開，兩人攙著手，站在階沿上，喁喁地講話。屋內燈火明亮，扶梯和壁上所掛的風雨表也隱約可見。在這煩悶困難的當兒，見到這個家庭的景況，心神才略爲暢快些。

這時候路上行人已不見蹤影，路燈的光線慘淡，車聲轆轆，我覺得實在無聊，就再把全案的情節演繹一遍。這事的根本問題，現在已經揭曉了，不管是蒙斯呑上尉的暴死、無名氏的廣告、明珠的寄贈、怪異的書信等等，總算都已明白緣由了，但對於印度的寶物、蒙斯呑上尉行李中的怪圖、歇爾托少校臨死的怪狀、寶物的復得、白沙洛慘死的疑案，還有離奇的腳印、紙片上所寫文字的不可解、兇徒行蹤的詭秘和兇器的銳利等等，再三思量，也得不到一絲線索，而且愈想愈不明白，簡直要懷疑在做夢了。

我到了品欽巷後，見那巷果然是在倫伯司街下段，兩旁都是兩層的小樓房，且很低小。我找到了第三家，敲了很久的門，才有一個人在樓上開窗，那人恨恨地罵道：「滾！醉鬼！爲什麼來驚擾我的好夢？你若不走，我要放出欄中的四十三隻狗，咬得你死去活來！」

我道：「只要放出一隻狗就和我的來意相符。」

那人聽了越憤怒，罵道：「快滾！你不怕我的鞭子嗎？若再不走，仰起頭來，接受我的打狗鞭吧！」

我道：「我不要鞭子，我要一隻狗！」

那人就是休門。他以爲我是什麼無賴，深夜去驚擾他，故而破口大罵。他簡直氣壞了，又咒罵道：「惡賊！一定要讓我發火嗎？我現在喊一、二、三。等『三』字喊了出來，你還不走，我的鞭子便立刻打下來！」

我道：「福爾摩斯先生……」話還沒有說完，樓窗立刻關上，這幾個字的魔力已經顯出功效來了。一分鐘後，樓下就有開門的聲音，開門後，休門一拐一拐地出來，他年紀很大，容貌很平常，駝背，頭頸瘦且多皺紋，戴了一副藍眼鏡，樣子很奇怪。

他道：「福爾摩斯先生的朋友，我總歡迎的。先生請進來，但是不要走近這狗，近了他必定要咬人的。」接著對欄中一隻紅眼兇面的狗道：「惡狗！惡狗！你要咬這紳士嗎？」他又對我道：「先生，不要怕，這狗野性沒被馴服，只要離開一點就不危險了。我因他長牙沒有脫去，可以驅除甲蟲，所以養牠在屋裡。鄰家頑童，時常來打門，我怕他們被狗咬了，總是先把他們罵了去。方才先生來，我也以爲是頑童，不覺又罵了出來，請先生原諒。福爾摩斯請先生來，不知道爲了什麼？」我道：「要借一隻狗。」「啊！必定是托別。」「是啊！確是托別。」

休門道：「托別住在左邊第七號欄中。」他說著拿了桌上的蠟燭，引我向左。這時候許多狗見了光，都張大了眼睛，在那裡看人。人在中間行走，好似走進了狗窩。狗欄上，又用木頭做成格子，住著許多鳥。那些鳥被我們驚擾後，也醒了打呵欠，形態慵懶，並且交換提起他們的左右腳來休息。後來到了第七號欄前，休門就開了柵門把托別拉出來。

托別的樣子很兇惡，毛長，兩耳下垂，顏色棕白夾雜。看他的品種，一半是『司本尼愛兒』，一半是『魯兒權』。托別出來後，起初不肯靠近我，休門拿出一塊糖來，叫我餵給他吃。托別得到糖，就跟我上車，竟好似相識已久一樣，我和休門告別，趕著車子往上那胡街。到了本廸邱利山莊時，王宮中的大自鳴鐘，剛巧鐺鐺地敲了三下。這時候薩廸司・歐爾托先生和守門的麥克曼都已被警察捉去了，只剩兩個警察把守著門戶。我下了車，告訴他和福爾摩斯是同事，方才允許我帶了犬進去。

到了裡面，見福爾摩斯口銜煙斗，站在階前，兩手揷在他的衣袋裡。

他喊道：「你已把托別帶來了嗎？好狗！好狗！瓊司已經走了。托別來！很好。自從你走了以後，瓊司和我大起辯論，不但捉走了我們的朋友薩廸司，並且連守門的、管家婦、印度僕人，一股腦兒都捉了去。捉去也好，不捉去我們反被他們纏擾，不能細心做事。現在樓上只剩下一個警察守屍，我們可以把狗放在這裡，再上樓去察看狀況。」

我們把托別綁在客廳中的桌子腳下，重新上樓。我見那死者房內和先前沒有兩樣，只是屍面已遮上了布，屋角裡坐著一個警員，外表很疲倦。

我的同伴道：「請你把警燈借給我，並且請你把這紙片替我結在胸前襯著。」警察照他的話，把燈借給他，他謝了，又對我道：「華生，我現在要脫去鞋襪，試驗凶犯攀登的技能，你替我帶了鞋襪，到樓下等我——等一下，暫且不要下樓。請先用這手巾略沾破瓶中流出的柏油，跟我到閣樓上去。」

我們到了上面，福爾摩斯再一次將燈光照在灰塵中的腳印上，對我說道：「我希望你注意這一點，這個印和平常的腳印不同，不知道你有何想法？」

我道：「可能是一個孩子，假使不是，也是一個身體瘦小的婦女。」他道：「不論大小，只論形式，也和平常人的腳不同。」我道：「似乎沒什麼差別。」他道：「不！試拿我的腳印來比較。」說著就自己印了一個腳印在灰塵中。又道：「如何？」

我道：「你的腳印五趾相並。這小腳的腳印各趾相離，中間有空隙。」

「對啦！這就是案中要點，希望你牢牢記著。你可否替我走近小窗，嗅嗅那窗檻上所留的氣體？我因爲拿了油巾，恐怕混雜，無法辨別。」

我依著去嗅，覺得奇臭刺鼻，極像柏油。

他道：「這就是那人走出去時腳所踏經的地方，你既能夠辨出味來，那麼，托別辨別起來當然更格外容易了。你現在可以下樓了，請放了托別，把牠牽在手裡。」

我下樓到了院子裡，仰望屋頂，見歇洛克．福爾摩斯已經爬出小窗，沿著屋脊匐匍而行。那警燈掛在胸前，很像螢火蟲，行到煙囪的後面，忽然不見了，後來又從煙囪的另一面匐匍著繞出，忽隱忽現，末了坐在屋簷的一角。

他喊道：「你是華生嗎？」我道：「是啊！」「這裡就是那人上來的地方，下面黑色的是什麼？」「是一個水桶。」「有蓋嗎？」「有。」「有沒有梯子？」「沒有。」

「這賊好矯捷啊！牆壁這麼陡，只要不留心，不免粉身碎骨，他能夠如此，我難道不能嗎？這水管裝得很堅固，想來那賊必定從這水管上下的。」

他說著，就握住了水管，滑了下來。我在旁邊看他，只見一點燈光，在牆邊慢慢地成垂直線的移動，快靠近牆下，他就放手跳上水桶，再跳下平地。

他把鞋襪穿上。說道：「追尋這賊還不算難。凡他走過的屋頂，屋瓦都鬆動了，並且急於逃遁，還掉了一件東西在這裡。」他說時就把所拾得的東西給我。

這東西是一隻小盒子，以雜色的草梗織成的。上面裝飾著幾行不值錢的小珠子，裡面放著六根黑刺，都是一頭尖銳，一頭圓鈍，和白沙洛．歇爾托太陽穴裡的刺一樣。

他道：「這東西很毒，幸好全數落在我們的手裡，這樣，我們追尋他的時候，他就不能再用毒刺刺我。我還怕什呢？假使我們找到他，恐怕難免有一番格鬥。不過，就算他用馬丁尼彈打我，我也不怕。此去路程並不近，足有六英哩。華生，你能夠一塊兒去嗎？」我答道：「我一定去。」「你的腳可走得動呢？」「可以！走得動的。」

「那很好！」他把狗牽到他的身邊，對牠道：「老托別！來！來！你很能夠幫助我的。」他一面說著，一面把手裡的油巾，放在狗的鼻下。托別嗅了一會，便仰起頭等候命令，似乎那油味已經到他心竅裡去了。福爾摩斯把手巾擲得很遠，不使氣味混雜，隨手牽了狗至水桶旁邊，等他去嗅。托別到了那裡，即跳著狂嗅，接著把鼻子著了地，搖尾奔去，福爾摩斯拉緊了繩，急速跟著他走，我也盡力追隨在後面。

托別把鼻子著了地，搖尾奔去。

這時候東方已露出魚肚白，一線冷光，淡淡的成了灰色，遠遠地透出魚鱗似的雲片，園裡牆垣高聳，屋內幽暗異常，曉風吹來，不禁要打個寒噤。我看到四周千瘡百孔，土堆土洞的中間，間或有些矮樹，也是蕪雜不整齊，簡直不像庭院，我們站在這裡，腦海纏繞著昨夜園主慘死的情狀，也不禁有些懍懍危懼。

托別一面走著，一面嗅著，曲曲折折到了園子的角落，便站定了。這裡是兩牆銜接的牆角，下面的磚頭似乎已經鬆動，牆邊另有一株桃樹，福爾摩斯就爬樹去，由樹枝上跳到牆上，從我手裡接過托別，把牠放出牆外，我也依樣爬上了圍牆。

他道：「那裝木腳的人，還留一個手印在牆上呢。你見這白色的灰粉上面是不是略有血跡？總之，我們十分順利，昨夜幸好沒有大雨！雖是隔了二十八個鐘頭，油味仍舊留在。」

我含糊答應他，但是心中十分疑惑，雖然沒有下雨，倫敦商務繁盛，行人絡繹不絕，現在已過了一天，路上的油味豈不會被行人的腳印帶了去？後來我們跳下了圍牆，跟著托別前進，見托別向前行去，一點也沒有遲疑，就像一個旅行家舊地重遊，道路山水，十分明白，不必思索。我方知油味眞的很強烈，他所說的當眞不假。福爾摩斯道：「你不要以爲這案子破獲與否全仗著那柏油的油味，如果沒有柏油，我當然還有好多別的方法可行，但是老天讓兇徒失敗，給我們留下一條探緝的捷徑，我們現在樂得就照著這捷徑走去，否則繞道遠行，雖然仍舊可以破案，但可能會走岔了路，那不免要事倍功半了。」

我道：「你的偵探術竟如此神奇，福爾摩斯，這一件事就我看起來，實在比傑弗生・霍波一案難上幾倍，你卻一眼就能夠知道中間的祕密，別的不要說，你怎麼能夠對那一個裝木腳的兇犯了解的如此詳細呢？」

福爾摩斯和我同事很久了，平時經常要說些頑皮話。那時他說道：「嘻！老兄！這件事很簡單的，還不明白嗎？我現在告訴你，曾經有兩個軍官共同負責看守囚犯，後來偶然知道了一批寶物的祕密，至於知道的原因，中間一定另有祕密。發現以後，兩人都不知道藏在那裡，有一個英國人，叫約納生・史毛爾，就畫出一張圖來，這約納生・史毛爾的名字就出現在蒙斯呑上尉所藏的圖上，其餘三個人是他的同黨，他還代其他三人簽了名，就是所謂的『四簽名』，這兩個軍官中，必有一個先照了圖上所指示的地點掘著了寶物，回到英國，他與史毛爾四人的交涉，必定有些未妥協的地方。至於史毛爾何以無法自己掘寶呢？那也是很容易解答的。因爲看到圖上所寫的日期，就知道蒙斯吞上尉得到圖的時候，剛好在那裡負責看管犯人。那時他天天和罪犯接近，就得到了那圖。史毛爾和同黨三人一定都是罪犯，既是罪犯，當然在監獄裡，沒有自由，故而雖能畫圖，卻不能夠自己去掘寶了。」

我道：「這不過是你的假設罷了。」「不能說僅是假設，若就事實看來，也是很符合的。我們可以假設：歇爾托少校回到英國以後，安居了幾年，但一天他忽然接到一封從印度寄來的信，便驚駭失魄。這又爲什麼呢？」

「想必是被他所騙的罪犯，期滿得到釋放了。歇爾托恐怕他們到英國來報復，所以嚇得病了。」

「與其說是期滿釋放，不如說是越獄來得近理，因爲歇爾托是看管犯人的人，各個罪犯的監禁年限他必定知道。他既知道，當然可以從容預備。但事實上他卻一點也沒防備，因此嚇得不知所措。若不是罪犯越獄，會出他意料之外嗎？再進一步想，歇爾托得到這封信以後，對裝木腳的人厭恨極了。所以可知越獄的罪犯一定是裝木腳的人。後來歇爾托見了一個裝木腳的收帳人，驟然以手槍射擊。這收帳人是英國人。假使歇爾托所恨的是其他種族的人，那麼，膚色不同，相隔雖遠，也不致誤殺的。他既然誤射，則可知他所要打的人必定是白種人了。再看圖上四人所簽的名字，惟有約納生・史毛爾一人的姓名是英國所常見的，其餘三人的名字都很怪，不是印度人，就是回教徒的人名。如此，你想這越獄的罪犯，不是史毛爾，是誰？」

「是啊！這件事經過一番解釋，的確已非常明瞭了。」

「我現在設身處地，以史毛爾的眼光，說明他到英國來行事的次序。史毛爾到英國來有兩個目的：一是要得到寶物；一是要結束歐爾托的性命。他到了英國以後，知道了歐爾托的住處，就賄通宅中的一人，給他傳遞消息。這人當然是歐爾托的厨師，叫拉爾勞。管家婦柏史頓太太曾說他行爲無賴，貪財賣主的事只有他做的出來。然而史毛爾雖有內線，也不能知道寶物藏放的地點。因爲知道寶物所在的除了歐爾托自己一人以外，只有一個忠心的老僕——叫拉爾・周達。後來史毛爾知道老歐爾托重病不起，恐怕他死了以後寶藏的祕密要跟著他的骸骨同葬黃土，就冒險趕到歐爾托家裡。假使那時歐爾托的兩個兒子不在病榻前面，史毛爾勢必要闖進去和垂死的人爭執。假使如此，那麼這案件在幾年前就可以揭發了，不必到今天還要勞動我們史毛爾在老歐爾托死亡的那夜，偷偷地到了屋內，遍尋歐爾托生前所寫的紙件，想要在紙件中得到寶藏的消息。但他還是沒有尋到，就留了一張寫著四個人簽名的紙片才去。這一張紙片，就表示他爲特殊的原因而來，和尋常的竊盜是不同的。假使歐爾托不是病死，是被史毛爾殺死的，史毛爾也必要留下一張同式的紙片，向同伴表示他已殺人報仇。這種情形，諒必你不致再說我只有假設了。」

「中間有線索可尋，自然和只憑假設的不

同了。」

「自此以後，史毛爾既不能如願，只好守住祕密，等候機會。幸好他的內線還在，還不要緊。因此他有時到別處去，有時回到英國打聽消息。隔了六年，白沙洛果然在閣樓裡發現了寶物，那內線就立刻報告史毛爾。史毛爾得到消息，急忙回到英國。他因自己是殘疾，裝了木腳，不能夠爬上這高樓，就招了一個奇怪的人幫助他。這人不幸踏到柏油，而讓托別能夠引導我們到這裡來，並且還麻煩一個半俸軍醫官追逐在狗後呢！」

「那麼，殺死白沙洛．歇爾托的，不是約納生．史毛爾，應該是他的同伴了。」

「是的，史毛爾對白沙洛一點也沒有仇恨，他只想等他睡著了，然後偷竊寶物，始終沒有害他的心。但他的助手必是一個性情急躁的人，驟然間就用毒刺刺死他，等到史毛爾進來，見了這狀，非常憤怒，就恨恨地罵他，我們看了房內的腳印，還可以想見當時頓足的情狀呢。那時那毒刺既已收不回來，史毛爾無法挽回，只好留下一張紙片，帶了寶物而去，這是行兇前後的情狀，我憑觀察推斷而得的，至於史毛爾這個人，步閥闊大，身材必高，身上有殘疾，還能夠攀登高屋，年紀一定不老。他住在安達門島很久了，終日烈日曝曬，面目必定不像我們白嫩。歇爾托的兩子，曾在乃父臨死時瞧見窗外的人多鬚蓄髮，因此那史毛爾一定是多鬚蓄髮的人，而老歇爾托臨終時所以能一見便即認出，也許就因他臉上多毛的緣故。此外的情形，我就不知道了。」

「他的同伴的情況呢？」

「這中間也沒有什麼祕密，不久你就能夠

知道的。」說完他仰視著天空，又道：「早晨的空氣新鮮極了！試瞧那天邊的一抹紅雲，彷佛是紅鶴身上的羽毛，初升的曉日，紅光縷縷，穿透雲層。啊！同樣的日光，所照的人何止億萬，然而像你我這樣有著奇怪任務的人恐怕也找不到幾個。我們在這天地間，仰觀俯察，覺得造化的力量，眞是偉大無比！德人約翰・保羅的著作，你可曾研究過？」

「約略看過，但是沒有讀過他的原書，只從我們英國卡萊爾所著的『約翰・保羅』中看些大略罷了。」

「如此也好，凡事若照著支流去尋找源湖，也不難找到。卡萊爾的著作，措詞雖近乎怪僻，對於精深的哲理卻說得很透徹。我們可以知道一個人眞正的偉大，就在於能夠體認到自己的渺小，你如果能夠研究李其德的學說，會發現更多的道理。你有沒有帶手槍？」「我有手杖在這裡。」

「罪犯如果眞給我們找到了，不免有一番格鬥，我們應該預備在先。你有手杖，可以抵抗史毛爾，他的同伴窮兇極惡，我有手槍，可以打他。」他掏出手槍，裝上兩個子彈，重新放在右邊的衣袋裡。

那時我們跟著托別前進，離開城市漸遠，後來到了美特洛權利村。村上有市集，勞動的人和河邊的船夫都披衣而起，家庭婦女們打開了百葉窗，掃除階前的垃圾，走到轉角處，有一家飲食店已經開了，主顧四集，都是些工人，他們不能自備早餐，所以到這裡來用餐，然後趕到工廠去。這些人都很粗壯，走出飲食店時，都舉起衣袖來擦去鬍髭上所沾的酒。一路上野狗很多，見我們走過，往往不停地狂吠，就算不吠，也是張大了眼睛，似乎在注意我們的行動。托別忠心做事，不看野狗，把鼻頭碰著了地，搖尾而行。如果遇刺油味濃烈的地方，也會嗚嗚地小吠，表示他的發現。

我們再走，經過史特萊塞姆區和勃立克司頓區，一直到奧法爾區的東面轉到肯寧頓路，所走過的都是曲折小路，凡有小路和大路成平行的，托別必走小路，到不得已的地方，才走大路。可見兇犯走的時候，也預備有人追蹤而至。肯寧頓路走完，向左轉彎，經凡得街和折曼爾街，再入騎士區，托別忽然不走了。他只是前後亂跳，一耳下垂，一耳上豎，似乎表示他的遲疑莫決。後來打了幾個轉，仰起頭來，向我們請示。

福爾摩斯呵叱道：「這狗爲什麼這樣？這裡很狹窄，罪犯既不可能坐車，難道會坐著氣球逃走嗎？」

我道：「或許他們在這裡停頓過一會。」

我的同伴道：「對啦！這句話很有道理。啊！狗又走哩！」

狗重新前進了，我們仍舊跟著走，覺得狗走得很快，鼻頭也不再著地，知道油味必定比以前更濃厚了。福爾摩斯眼光發亮，面有喜色，似乎預料賊巢已近，不久要破案了。

我們行過九榆地，經過白鷹酒店的前面，附近是勃洛特洛克和納爾遜木廠，廠裡工人都齊集了，鋸木的聲音，傳到門外來。托別走進廠門，忽地奮身跳起，跳到木屑間，走過一條小路，轉到兩堆積木的前面，旁邊有一部塌車，塌車上面有一個大桶，托別吠了一聲，便跳上車去，搖尾吐舌，不時地以眼睛瞧著我們，我們走近前去，見桶邊和車輪上都塗滿柏油，相近的方丈以內，油氣觸鼻，幾乎不能忍受。

歇洛克．福爾摩斯和我面面相覷，後來不禁大笑了起來。

第八章　貝克街的偵探小隊

我道：「現在怎麼辦呢？托別也失掉了準頭。」

福爾摩斯道：「近來倫敦各地用柏油的很多，氣味既然相同，莫怪托別要走錯了。」他就帶了狗下車，一同出廠。

他道：「現在須回到原路，方能找到油味混雜的地點。」

「是啊！幸虧離此不遠，大約在騎士區轉角的地方，那邊有兩條路，一條是木廠運油車的氣味，比較濃厚一點；一條是罪犯的腳印，比較淡。托別捨淡就濃，所以走到這木廠裡來了。」

我們回到了騎士區，那狗約略轉了幾個身，就走到另一條路上去了。

「方才走錯，走了油桶進廠的路，現在必須防著牠再走到油桶的來路。」

「現在可以不必顧慮了。凡是用塌車運貨的，必定走路的中央，油味常在路中，現在托別嗅著路邊而行，決不至一誤再誤了。」

我們一面走，一面說，大約過了十幾分鐘，經過培爾芒德區和王子街，托別忽然沿河走百老匯街，走完了這一條街，就是水灘腳，有一小碼頭，是木頭做的。那碼頭突出在水中，托別走下去，上了小碼頭，一直到近水最後的一級，對著水狂吠。

福爾摩斯頓足道：「現在怎麼辦？罪犯從水路逃去了。」那時碼頭的旁邊，停著許多小船，福爾摩斯立刻帶狗上船，讓他逐艘嗅去，福爾摩斯喊道：「好孩子！兩頰緋紅，像玫瑰一樣。傑克！要什麼東西嗎？」

傑克想了一想，吞吞吐吐地答道：「我要一先令。」福爾摩斯道：「你不要再多一點嗎？」

傑克又想了一回道：「能夠給我兩先令更好。」

福爾摩斯給他兩先令，又對那紅臉婦人道：「這孩子很好！史密司太太。」

婦人道：「先生！老天爺賜你幸福，不知道先生給孩子錢，要他做什麼事情？這孩子頑皮得很，我丈夫出去了，就野的管不住。」

「史密司先生在家嗎？這事眞令我失望，因爲我要和他說幾句話啊。」

婦人道：「他昨天清晨出去，到現在還沒有回來。如果先生要用船，我能夠代辦的。」

福爾摩斯道：「我要用他的小汽船。」

但也沒有頭緒。

離開這裡十幾步有一所小磚屋，第二扇窗口懸著一塊木牌，寫著「毛廸開·史密司」字樣，下面還寫著：「船隻出租，按日計或按時計均可。」另外還有一塊牌子掛在門上，寫著：「另有小汽輪，船速很快，價格便宜……」歇洛克·福爾摩斯見了，神色頓然非常沮喪。

他道：「壞了！罪犯事前預備得如此周密，眞是出我意料之外。」

他和我同到那小磚屋的前面。屋門正好開了，一個鬈髮的孩子，從裡面跳出來，猜他的年紀大約六歲。後面跟著一個婦人，面帶紅色，筋肉結實，手裡捏著一大塊海綿。

他喊道：「傑克！快來洗澡！你這小鬼頭！這樣骯髒，還要一天到晚胡鬧，你爸爸回來，不打你，也要罵得你半死！」

「什麼！要小汽船啊！這件事我不能答應，因爲他出去就是坐小汽船的。但是船上煤不多，還不夠到胡爾威志呢。這船速度很快，最遠可到格雷夫司恩德，也不會誤事。不過汽船全靠著煤，沒有煤，總不行。」「或許可以在半路上買。」

「或許可以如此。先生，但是他這回去，恐怕未必這樣。有好幾個人要用汽船，他都拒絕，獨是答應了一個裝木腳的人，並且他去的時候又是十分匆忙，也來不及裝煤。這裡面有什麼事，我也不明白。這裝木腳的人，面目兇惡可怕，他每次來，往往以木腳敲地，敲得格格地響，我很不喜歡他。」

福爾摩斯驚異道：「一個裝木腳的人嗎？」

婦人道：「是啊！這人面孔棕色，好像一隻猴子，他閒時總是來找我丈夫講話。昨天深更半夜，全家大小都睡著了，這人忽然又來了，喚我丈夫起來。我丈夫似乎預先知道他要來，一聽見他的聲音，便披衣而起，小汽船也預先停靠在河邊，人到了就開，不像平時在開船以前總有許多周折。這件事現在想起我還覺得很不安呢。」

福爾摩斯聳肩道：「史密司太太，你不會認錯了吧？你怎麼斷定昨夜來的是裝木腳的人呢？我不明白你怎麼能夠如此肯定。」

「先生！這件事決不會錯的。這人的聲音模糊，似遮著一陣濃霧，一聽就可以斷定是他，別人的聲音決不是如此的。並且他來的時候已經三點鐘了，我們已關了門。他並不敲門，只用手指在窗格上輕輕的彈了幾下，喊我丈夫道：『史密司，快起來！時候到了。』我丈夫一聽，立刻驚醒，連忙喚傑姆起來，和他同去。

傑姆是我的大兒子，已經長大可以做些事了，所以小汽船上常常喚傑姆去幫忙。三人出門時一句話也沒有對我說，既沒有說去那兒，又沒有安排家事。但在他們臨走的時候，木腳人經過石板上格格的聲音，還在我的耳邊。因此我即使再笨，也敢發誓，決不會錯的。」

「這裝木腳的人是單獨來的嗎？」「先生！這我不確定。但是窗外沒有說話聲，或許沒有同伴了。」

「失望之至！我今天來，正是因爲聞得尊處小汽船迅速，想租用一下。不幸被他人捷足先得了。讓我想想……這船叫什麼名字？」「船名『亞勞拉』。先生，你見過沒有？」

「啊！就是著名的『亞勞拉』，不就像那艘綠色的舊船，上面畫了一條黃線，後面船舷很寬的那艘嗎？」

「不！這船大小和尋常所見的小汽船相似，船身是黑色的，有兩條紅線，並且是新漆的，顏色鮮明，很容易辨認。」

「多謝你告訴我！我現在只好另用別的船，順流而下，如果在中途碰見『亞勞拉』，我必定和尊夫作簡單的交談，告訴他夫人因你忽然出去，十分掛念。那麼，他事情做完了，一定立刻回來。我還要問一句，『亞勞拉』的煙囪是黑色的嗎？」「不！黑色的中間間著一條白線。」

「一定是兩邊黑色，前面白色了。史密司太太，再會！華生！那邊有一艘船停著，我們過去看看。」

到了船上，福爾摩斯又道：「和這等人講話，最要留心，如果所問所答，起了她的疑心，她就會三緘其口，一句話也不肯說出來了。否則你儘管問，她必能完全告訴你的。」

我道：「罪犯的蹤跡，現在已經清楚了。」福爾摩斯道：「是的，你打算怎麼辦？」我道：「也坐汽船，緊緊地追趕『亞勞拉』，我想必能捉到這賊。」「不需如此周折。須知自此而下，直達格林威治，沿途碼頭很多，無處不可停泊。如果船停著，人走了，就是找到了船也沒有用處，如果沒有找到船，向前窮追，廢時勞力，結果仍舊是失敗。」

我道：「那麼，去報警。」「這也不是上策，瓊司這個人，雖沒有惡意，然而自大貪功，不能與他共事。我們須獨出心裁，破獲其中的祕密，等到最後拘捕的事才請他來幫助，以便把大功給他，這樣，對我而言可以減少人的紛擾，對他而言坐享其功，他一定十分感激。」

「那麼，登報看看可曾有人見過『亞勞拉』船的蹤跡，我們再根據報告去追。」

「如此更糟了！你要罪犯快點逃走嗎？凡事求得越急，反而糟。現在罪犯自以爲沒有人知道他們的行踪，如果我們把『亞勞拉』船登在報上，那賊知道案快破了，豈不要遠逃呢？瓊司雖笨，也可以幫我一點。昨夜他自作聰明，把死者的弟弟捉去，我料今天報上必定會刊登這件事，這件事公開以後，賊人會更覺得安全無慮，那時我們要捉住他，就更容易了。」

這時我們的渡船已到了岸邊，地點離密爾彭克監獄很近，我們登了岸，我問道：「既不宜快，又不宜報警，又不宜登報，那麼，怎樣才好呢？」

福爾摩斯指著路邊一部車，答道：「坐這車回去，吃了早餐以後，小睡一小時再作打算。我料定今夜仍舊要走路，體力可能不濟。托別或許還有別的用處，可帶回去養著，先不要還休門。」我不作答，只跟著他上車。到了大彼得街電報局門前，福爾摩斯喊車夫道：「停！我要到局裡去發一個電報，」說著，跳下車去。我坐在車裡等他，過了一會，福爾摩斯又上車。他問我道：「我發電給誰你知道嗎？」

我道：「我那裡能夠知道？」他道：「在傑弗生‧霍波案中我曾經用過我貝克街的偵探支隊，你忘記了嗎？」

我笑道：「是那一班吵吵鬧鬧的小流氓，你還要用他們嗎？」

「此等案件，非用他們不可。如果他們不能成功，我還有別的辦法。現在我發給電報的人，就是我的小朋友韋金斯，這孩子雖是面目髒醜，然而做事忠心。我料我們回家以後，早餐還沒吃完，他一定已領了一群小孩蜂擁而來了。」

那時已經八九點鐘左右，我靜坐車中，又想起了許多事情。我想，我既然不是偵探，此等殺人越貨的事和我一點也不相干，我竟辛辛苦苦忙了一夜，眞是沒有意思，假使死者和我有關係的話，那麼，他突然被暴徒殺死，我確實不能不捨身，盡我朋友的責任。現在白沙洛歇爾托這人，和我素未謀面，我是不是笨蛋，爲什麼如此不自愛惜？然而反過來想，死者雖和我沒有關係，他的寶物，一半是屬於蒙斯吞小姐的，既是屬於她的，我就算辛苦一點，也是本分。雖然她得了寶物以後，身分勢必不同，以我的貧乏，萬萬不可能高攀富女，然而愛情所至，這一點也顧不到了，但願這寶物眞能歸還給她，那麼，我心裡便會十分快樂，至於她是否嫁給我，那就不管了。所以依福爾摩斯的意思是一心要捉拿兇手，我的心思卻專爲找回寶物。

我們回到了貝克街的寓所，就進浴室裡去盥洗。洗完精神大振，更衣下樓，見早餐已準備好了，福爾摩斯正站在桌子旁邊倒咖啡。

他見我進來，微笑指著桌上的報紙，說道：「你看，這自大的瓊司和那無聊的記者，已經把這件事登了報了，此事前後情節你都已明白，報上的記載，實在毫無價值，你與其看報，還不如先吃這火腿雞蛋好。」

我笑著不回答他，拿報來看，標題是「上那胡街的謀殺案」，報導說道：「昨夜十二點鐘，上那胡街本廸邱利山莊的主人白沙洛．歇爾托忽然被人謀殺。據訪查所得，死者生前並無怨仇，只是他的父親藏著很多印度的寶物，他父親死了以後，那寶物都歸死者所有，現在這一批寶物已被兇手帶走，兇手行兇的時間還不十分清楚，但是最先發現這案件的是歇洛克．福爾摩斯和華生醫生，這兩人是被死者的弟弟薩廸司．歇爾托領著到死者房內去的，幸而這件事發現的時候，蘇格蘭警場著名的警務偵探隊隊員瓊司先生恰巧在上那胡街警局裡；他得到消息以後，在半小時內趕到那裡，勘驗一切。瓊司先生學問高深，經驗豐富，到達不久，立刻明白其中的祕密，因此已把死者的弟弟薩廸司．歇爾托和死者的管家婦柏史頓、侍者拉爾．勞、看門人麥克曼等，一併抓到局裡，聽候審理。因爲瓊司先生心思細密、觀察敏銳，已知道兇手不是從窗戶進來，是從屋脊小窗中偷偷地下來的，既是如此，一定是熟悉屋內情形的人，既是熟悉屋內的人，則必不是外賊。瓊司先生逮捕死者的家屬，的確是經驗老到，照他的聲望閱歷看來，這案件雖然奇怪，也不難立刻破獲。」

福爾摩斯注視著咖啡杯，笑問道：「如何？法螺是不是吹得過響了？」我道：「我們也十分危險，幾乎遭他羅織罪名。」他道：「現在我們豈能安然無事呢？如果瓊司再進一步行動，我們恐怕也危險了。」

這時候鈴聲忽然大作，只聽見樓下房東哈德遜太太和人爭辯的聲音，我驚駭極了。我離開座位喊道：「什麼？福爾摩斯！難道拘捕我們的人已經到了嗎？」

「不！事情再糟也不會如此。可能是貝克街的偵探支隊來了。」

當他說話的時候，樓梯上已有赤足行走的聲音，踢踢蹋蹋地向樓上來，還夾雜著喧鬧聲。有許多十幾歲的小孩，一擁而進，個個襤褸骯髒，好似街上小乞丐，但是在漫無紀律中，似乎也經過一番小訓練。這班人見了我們，就排成一行，非常神氣，各個仰起脖子等候命令，當中比較年長的一個樣子很像是個隊長。

他走到福爾摩斯跟前，說道：「先生！我得了電報，就領全隊到這裡來。車費三先令一便士。」

福爾摩斯把車費給了他，說道：「韋金斯，以後如有消息，可以託你轉報，不必讓他們一塊兒來。我現在要找一艘小汽船，船名『亞勞拉』，船主毛廸開．史密司，船身黑色，有兩條紅線，煙囪也是黑色，前面有一條白線。這船已經到了泰晤士河的下流，船主毛廸開．史密司住在密爾彭克監獄的對岸。你可以分派一個人在那裡等候，一見『亞勞拉』開回來，就來向我報告。其餘的人可以散在下游各地，探聽這船停泊在那裡。韋金斯，你明白嗎？」韋金斯道：「是！都聽淸楚了。」

「酬金仍照以前慣例，每人每天給一先令，誰查得了這船的消息，就另外加獎一其尼。現在先付一天的工資，快去探聽。」他說完了，就拿出十幾個先令，分給這一羣小孩，這班人便歡笑跳躍地走了。

福爾摩斯又對我說道：「如果『亞勞拉』停在河邊，我想終究要被這群小孩查到的，因爲這群孩子非常靈活，能夠到處跑，能夠查到別人見不到的東西，並且能夠聽到別人聽不到的話，這樣的一艘汽船，豈有找不到的道理呢？我希望在傍晚以前，韋金斯能夠來向我報告好消息。現在我們倆也沒有什麼事可做，只有靜等消息，因爲在『亞勞拉』或者毛廸開・史密司的蹤跡得到以前，就是有力也沒有用處啊。」

我道：「托別已經餓了，把這麵包給他。你要睡一下嗎？」

「不！不！我和別人不同，有事的時候，永遠不會疲乏的，若沒有事，那才會委頓不堪。現在我要吸煙，研究這案中的條理，裝木腳的人，在社會上不多見，他的伙伴又非常特別；我想一定可以手到擒來。」

我道：「他的伙伴是怎樣的人，你倒說說看。」

「這一點也沒有什麼祕密，你若靜靜地推想，一定也可以明白。現在且把推想的線索匯集起來：那人非常狡獪而敏捷，還能夠放毒刺，並且赤腳，所用的木槌又是我們不常見的，你想這是什麼樣人呢？」

我道：「照此看來，必定是一個蠻人，或許就是史毛爾同黨三人中間的一個，假使果眞是同黨，那一定是印度人了。」

他道：「不！不！我初見他奇怪的兇器時也是如此想，後來方知道是不對的。因爲印度人中雖也有體格瘦小的，但他們的腳都是狹長而少肉的，和所留的腳印不同；回教人的腳印或許比較相像，但是因爲穿草鞋的緣故，所以大趾與四趾分開，和印度人不同。這樣，知道這人既不是印度人，也不是回教人，其餘蠻種，也可想而知了。」我道：「或許是南美洲的蠻人？」

他不答，站起身來，在架上取起了一本書。他一面翻看，一面說道：「這是政府新出版的調查紀錄，記載得很詳細。我讀一節給你聽：『安達門島，位在孟加拉海灣中間，距蘇門答臘北面三百四十英哩。』」他讀到這裡，忽張目喊道：「啊！啊！這是什麼？『天氣溫熱，有珊瑚礁，產鯊魚。柏雷河商埠，羅特倫島，——有棉花——安達門島土番，是全球最小的人種，雖然人類學家常認爲非洲的布希曼人、美洲的廸加印第安人和火地人是全世界最小的人種，然而實在不及這種土番來的小，因爲他們的平均高度只有四英呎，且不滿四英呎的人很多。這些人體格雖小，性情卻殘忍無比。不過假使能和他們建立起感情，他們也是豪爽可愛，且願意替人效命。』華生！你記著！『土番頭大，容貌奇醜，眼小而露兇光，舉動神情都很奇怪，手腳很小，野性未除。英國政府雖千方百計地約束他們，成效不大，若有船隻在那海島的附近擱淺，土番必定把船上的人全部捉去，用毒刺刺死，或者以石槌打死。之後羣聚解剖他的屍體吃掉，叫做宴會』。我料這人行兇的時候，史毛爾必定竭力地制止，所以白沙洛只是死了，否則也許屍體都保不住，全到他肚裡去了。」

我道：「不知道史毛爾怎麼有這種同伴？」

他道：「這件事何必再問？史毛爾放逐在安達門很久，他無法結交一個土番嗎？你已經疲倦了，並且已沒有事，如果你願意，可以睡在這沙發椅上，我能夠讓你安睡。」

他就在屋角拿起他那隻提琴，拉出柔美的催眠曲。我躺在沙發椅上，見他的弓弦上下，面帶微笑，懇摯的態度令人感動，朦朧之間，好似坐在船裡，不久便已入夢，彷彿瞧見我親愛的梅麗・蒙斯吞低頭向我微笑。

第九章　線索的中斷

等我醒來，夕陽已下山了。張開眼睛，見歇洛克·福爾摩斯仍舊坐在我就寢時的地方，不過這時他已放下提琴，換了一本書，低頭在那裡細讀，神色很不快活。

他見我醒了，就走到沙發椅邊，問我道：「你睡得酣美極了，我很怕我們的談話會驚擾你的好夢。」

我道：「談話？我沒有聽見啊！消息怎樣？好嗎？」

「一點都沒有消息。方才韋金斯來說，泰晤士河中都尋遍了，卻沒有『亞勞拉』的蹤跡，你想這不是使我大失所望嗎？現在時間緊迫，每遲一個鐘頭，罪犯就有更充裕的時間逃跑，然而竟沒辦法追查，怎麼辦呢？」

「我應該怎樣幫你呢？我現在精神已經恢復，就是再走一夜，也沒有困難了，如果有什麼命令，儘管說吧！」

「這時候用不著你，就是我也無法做什麼事，只能靜候外來的消息。如果出去了，結果漏失了消息，反而誤事。你如果有事要出去，沒關係，我可在這裡守候的。」

「既然用不著我，我要趁這空閒的當兒坐車到康伯威爾街，去見弗來司特太太，答謝她昨天邀請的盛意。」

「你要去見西西爾·弗來司特太太嗎？」

我道：「既是見了她，自然也要見見蒙斯呑小姐了。他們倆都急著要打聽這案件的消息，我必須約略告訴他們。」

「不要說得太詳細，天下最不可靠的就是婦人。」

這句話我不和他爭辯，只道：「約一兩個小時內，我就可以回來了。」

「希望你得到幸福，你如果要渡河，請把托別帶去，還給休門。」

我依他的話，帶了狗上車，到品欽巷，見了休門以後，還他狗，又給他半個金鎊。後來驅車到康伯威爾，敲了門，進去見蒙斯呑小姐和弗來司特太太。她們倆見我來了都很高興，互相問安後就問案情如何，我把所經過的告訴他們，悲慘的事就略去不說。但她們倆聽了，還是十分驚恐，瞠目結舌，說不出話來。

弗來司特太太道：「這件事好像小說，一個孤零零的女郎，有五十萬鎊的寶物，但被一個木腳人和一個黑色小蠻人盜去，眞是離奇得很，怎麼世間竟有這等新聞？」

蒙斯呑小姐道：「全靠兩位仗義相助。」

「梅麗！你被這事所擾，必苦惱極了。但是總有一天，寶物都會到你手中的，一旦成爲巨富，無異就可把全世界踩在腳底。一得一失的差別，眞是遠極了。」

她聽了這話，並沒有露出驕矜得意的表情，好似金銀寶物一點也不能打動她的心，我見此狀，十分欣慰。她慘然道：「這事無論如何，總要設法替薩廸司・歇爾托先生雪恥，這人哀憐我孤零，竭力救濟我，竟得到這惡果，我心裡很不安。」

我道：「是啊，只要抓到兇犯，寶物就可以得到，那麼薩廸司的罪，也自然昭雪了。」

我們說了一會兒閒話，見已經晚了，我方才離開康伯威爾，坐車回家。到了室內，見我同伴所吸的煙斗和所讀的書都丟在椅中，人已不見，我又在桌子上尋找，也不見片紙隻字。

那時恰巧女房東哈德遜太太走進來。我就問道：「歇洛克・福爾摩斯先生出去了嗎？」

她道：「不，在臥房裡，我怕他累出病了。」

我道：「病了嗎？怎麼就病了呢？」

「就是不病，也很奇怪。自從你出去以後，他就站起來，在室中走來走去。他的皮鞋聲教人聽了生厭。後來鞋聲以外，又夾雜著自言自語的聲音，不知道他說些什麼，門鈴一響，他必定走到扶梯口，高聲問道：『哈德遜太太，是誰啊？』問了幾次，方才走進臥室去，仍舊走來走去。我怕他身體不舒服，進去勸他喝一點涼爽劑，他怒目而視，並且斥退我。你想，這件事不是很奇怪嗎？你注意聽，現在他的臥室裡還有腳步來去的聲音呢！」

我一聽，果然有腳步聲，就道：「哈德遜太太，不要多心，我和他同事久了，知道他的本性多思慮，心中有些煩惱，身體就無法安定。這等模樣我是見慣了，請你不要放在心上。」說完了，再安慰了一番，她方才釋然而去。我知道只要他走著不停，必定是他苦心焦思的時候，不應當進去打亂他的思路，就獨自吃了晚餐去睡，後來偶然醒了，聽見那皮鞋的聲音到天亮都未曾停過。

第二天早餐，福爾摩斯和我同吃早餐，我見他容貌憔悴，兩頰微紅，好像發燒了。

我道：「老友，你爲什麼整夜走不停？不怕生病嗎？」

他答道：「此案不破，斷不能高枕而眠。我對於全案，已經十得其八，人名、船名也探聽到了，我本以爲可以立刻破案，誰知卻被難住了？」

我道：「這事既然不是韋金斯能夠做到，那麼，你應當另想辦法啊。」

福爾摩斯道：「我因爲韋金斯不能成事，昨晚又派了一分隊去找。然而還是遍尋不著『亞勞拉』，就是船主史密司的妻子也沒有丈夫的音信，難道罪犯神通廣大，能夠預料我福爾摩斯要出來找他們，把汽船沈了嗎？否則這泰晤士河上下幾十哩，船舶雖多，『亞勞拉』也無從遮掩啊！」

我道：「或許我們受了史密司妻子的愚弄，只要她把船名和船身油漆的模樣胡說八道一番，那麼，我們尋到頭白，也找不到『亞勞拉』了。」

他道：「不，我也懷疑到這一點，曾派人去問史密司的鄰居，結果和那婦人所回答我的話一樣。」我道：「可曾到上游去了？何不到上游尋一遭？」

「這個我也想到了，已另派一分隊到上游去，命他們一定要找到理查蒙特方可停止，倘若還沒有消息，明天我要自己出去和罪犯拚命了，然而我料定今天一天中無論如何總有些消息給我的。」

天下的事，往往情勢和志願相違背。這一天，我悶坐著等候消息，竟一點也沒有，報紙對於這案件，也是記載不一，但大致都集中在薩廸司身上，他們又把瓊司稱讚得言過其實。那報導中只有官方明天將再度查驗一事有些可信，此外都是無稽之談。到了晚上，我無聊極了，因此再到康伯威爾，和蒙斯呑小姐閒談，告訴她們時間緊迫，但是罪犯還是杳無蹤跡。她和弗來司特太太都歎息不止。等到回家，已是黃昏時候，福爾摩斯在室中，不言不笑，靜靜地發呆，我偶然問他，他也不高興回答。他只顧著把一塊藥片放到玻璃試驗管裡，又加了些水，在酒精燈上燒著，讓它發出惡臭來。我耐不住了，便自己進臥室裡去，隨便吃了些晚餐就睡了。半夜偶然醒來，還聽見玻璃管相碰的聲音，知道福爾摩斯這一夜又沒有睡。

天亮了，我剛張開眼睛，見福爾摩斯已經站在我的床邊。他換了水手的裝束，穿著一件粗絨衫，頸上圍了一條紅色的粗布圍巾，樣子極粗陋。

他道：「我現在要親自到泰晤士河下游走一趟，這一趟或許有些成果。我想了好幾次，船既不停在河面，難道沒有別處可停嗎？凡事不在這裡，就在那裡。怎麼可以顧此失彼呢？」

我道：「我如何幫助你呢？可要跟你去嗎？」

「不！你不要到別處去，留在這裡，就可以幫助我的。韋金斯昨天沒得到消息，或許今天可以得到一些，如果兩人都出去了，恐怕失誤，不如請你在這裡做我的代理，如果有寄來的電報，可以替我拆看，一切由你斟酌處理，你不要有負我的囑望才好。」

「可以的。既是承蒙你囑託，一切定當盡力而爲。」

「我這回行蹤不定，你無法發電通知我。但我如果氣運不錯，很快就回來的，回來以後一定有許多消息告訴你。」

他說完了，就轉身出門，直到早餐時都還沒有回來。「旗幟報」來了，見上面所載的上那胡街暗殺案，措辭和以前不同了，說道：「上那胡街暗殺一案，目前已知此案內情非常複雜。蘇格蘭場名警探瓊司先生已經四面探聽，證明死者的弟弟薩廸司無罪，現在死者的弟弟和管家婦柏史頓已經全部釋放。以瓊司的幹練，早晚總可破獲這案的。」我看完了，心想薩廸司既已被釋放，的確幸運。只是不知道瓊司所得的線索和實際案情究竟有沒有關係。

後來我又在報後廣告欄內，見一則廣告，標題是「尋人」，寫道：「船主毛廸開•史密司和他的兒子傑姆，在星期二早晨三點鐘左右，乘小汽船『亞勞拉』離開史密司碼頭到別處去，至今沒有消息。船的船身是黑色，有兩條紅線，煙囪是黑色，有一條白線，知其行蹤者請到史密司碼頭，告訴史密司太太，或者通知貝克街B座二百二十一號都可以。酬金五鎊，決不食言。」

這廣告中有貝克街的住址，那麼登廣告的人必定是福爾摩斯了。貝克街的前面，先提到史密司碼頭，罪犯見了，勢必以為是妻子尋覓丈夫，決不致有別的疑心，他安排如此周密，令人佩服不已。

吃了早餐以後，我依著福爾摩斯的話，靜候外來的消息，我沒人陪伴，一個人默坐著，覺得時間過得非常慢。我一聽見敲門聲和街上腳步聲，心裡便很高興，認為若不是他回來，就是報信人來報告消息，然而高興了幾回，我的願望始終落空不能實現。我覺得沈悶極了，看書逍遣，然而眼光剛放到書上，心就飛到別處去了。我暗思蒙斯吞小姐將這事委託我們，不料結果卻如此多變，我腦子裡彷彿有一個裝木腳的人，和一個小黑蠻人在那裡跳著，無法安靜，因此，無論什麼書都看不下。後來又想，我自從和福爾摩斯同事以來，雖沒有見過他失敗，可是智者千慮，必有一失，大概福爾摩斯對於這案的假設，已進了歧途，又因他的自信心過強，一誤再誤，因此就把一個極平淡的問題，反而弄成了一件極晦澀而艱難的疑案，現在罪犯趁機脫逃，前途茫茫，眞是令人擔憂。然而回過來一想，這案子自始至終，凡是福爾摩斯意想所能及的，都成了事實，並且事事順流而下，好似鐵鍊的環節相連，就情勢而論，但到了現在，反有中斷的可慮。如果他所料的都錯了，那麼正確的又在那裡呢？我想來想去，這疑團還是不能打破。

下午三點左右，門鈴忽然大響，鈴聲停後，就聽見樓下客廳有宏亮的說話聲，沒多久女房東領了一個人上來，不是別人，正是瓊司。我感到驚訝，瓊司竟與在上那胡街時那種驕傲的神情不同，而是和顏悅色，說話時語氣也很柔順，他對我鞠躬道：「晚安！先生！我知道福爾摩斯先生已經出去了。」

我道：「是的，只是不知道什麼時候會回來。請吸一根雪茄，坐下來等一下吧。」

瓊司謝了一聲，他一面坐下來，一面摸出一方紅手巾，擦著臉道：「我應當等他。」我道：「要喝些蘇打威士忌嗎？」「謝謝，只要半杯就夠了，天熱，不宜多飲。近來天氣極熱，我又很忙，眞是非常痛苦，上那胡街一案，你知道我的用意嗎？」「你前天所說的話，我還記得。」「前天我以爲死者的弟弟薩廸司罪無可逃，後來仔細研究，又四面探聽，方知出事的那天，薩廸司離開上那胡街以後，始終有人和他在一起。這些同伴，都能夠證明他沒有到別處去過，因此，便不能隨便羅織他的罪名，但眞正的兇手是誰呢？我至今還沒有頭緒，所以很希望有人來幫我。」

我道：「要人幫助也是常事，那一個人沒有困難的時候呢？」

瓊司道：「貴友歇洛克・福爾摩斯先生眞是奇人，他的字典裡似乎沒有『失敗』兩個字，無論怎樣離奇的案件，一到了他的手裡，沒有一件不是從黑暗中放出光明來的，因爲他的偵探方法千變萬化，悟性又高，別人怎麼也及不上，如果他投身警界，我相信他不久就可以得到上級的器重，就是我也只好望塵莫及。」

他說的時候，又從袋裡摸出一張電報給我看，說道：「我在十二點左右接到他的電報。」我看上面寫道：「瓊司先生，見電請速到貝克街敝寓，如我未歸，請稍待。歇爾托案現已查明，如果你要知道案情的結果，今晚可與我同去。——福爾摩斯發自巴拍拉街」

我道：「電文如此，表示福爾摩斯已在失望中得到成功的轉機了。」

瓊司道：「啊！他也曾失望過嗎？我們當偵探的，就是再敏捷的人，也難免有失望的時候，他若是以前失望過，或許這電文只是誤會。但我旣是警員，如果有機會，不管它可靠不可靠，總不會輕易放過。」

這時樓下有一個聲音，有人走上扶梯來，一面走著一面咻咻地喘氣，聲音很沈重，走了幾級，又停頓一會，這人似乎已經很衰老了，有些走不上來，停了好久，方才氣喘著進來，我見了他的外貌，和我所聽見的聲音，果眞互相印證了。那人年紀已大，十分衰弱，又彎腰駝背，行動的時候，膝蓋也有些顫抖，好似一棵飽經風霜的老樹。他的裝扮看起來是個在海上生活的人，他穿著舊絨外衣，紐扣密排，直到頸下，頸上還圍著一條絨圍巾，把兩頰裹在中間，頰上髭鬚很多，蓬鬆地成了灰色，頭髮也是這個樣兒。長眉下垂，好似蘆葦，目光從蘆葦中透出來，閃閃有光，因他臉上的毛髮多，除了這兩隻眼睛以外，幾乎看不見皮肉。他這樣子想必少壯時是一個航海業中極有聲望的人，後來窮途潦倒，成了這副模樣。

我問道：「朋友，你來這裡做什麼呢？」他把我們細細端詳了一會，答道：「你是歇洛克・福爾摩斯先生嗎？」

我道：「不，但是我可代理他的事務。你要告訴他的事，儘管對我說就是了。」他道：「我只對他說。」

我道：「我已經說明了，我是福爾摩斯的代表。你可是要說些有關毛廸開・史密司的汽船的消息嗎？」

「是啊！我知道這船的所在位置，我也知道船上的人，並且我知道船上人所盜的寶物在那裡。我知道所有的一切。」「那麼，請你告訴我，我可以轉告他的。」

那老人顯出很不高興的樣子，答道：「這事與他有關，我只告訴他。」我道：「既然這樣，你等他回來吧。」「嗯！我為了這件事已費了好多時間，福爾摩斯既然不在這裡，只好讓福爾摩斯自己去幹，我是不願向你或別的人說出一個字來的！」

他轉身把門帶上便要走了，瓊司急忙站起來，走過去阻止他。

他道：「朋友！請等一會兒。你既是探得了重要的消息，無論如何，不能就走，我們的同伴沒有回來，我們一定要把你留住。」

那老人不理，想要奪門而出。瓊司把背靠在門上，擋住老人的去路。

瓊司把背靠在門上，擋住老人的去路。

老人舉起他的手杖在地板上怒擊著，說道：「豈有此理！我來是要見一位紳士，不料竟碰著你們倆。我平生沒有見過這般荒謬的人，竟無禮待我。」

我道：「你不要生氣，我們決不敢冒犯你，你所浪費的時間，我們也會補償你。他不久就要回來了，請坐在這沙發椅上等一會兒吧！」

老人聽了也不回答，逕在沙發椅上坐下，他又氣喘吁吁地以兩手掩住面孔，好似十分懊喪的樣子。我見他已經肯坐著不走，就不再注意，仍舊回過頭來和瓊司吸煙閒談。

一轉眼間，福爾摩斯的聲音，忽地傳到我們的耳邊。他道：「我想吸雪茄，請你也給我一根。」

我們從椅子上直跳起來，忽見福爾摩斯坐在那沙發椅上，笑容可掬。

我驚喊道：「福爾摩斯！你怎麼在這裡？那老人到那裡去了？」

他從背後拿出一把白髮來，笑道：「老人在此。鬍鬚、眉毛都在這裡！我想我喬妝的技術著實不差，竟讓你們也上了一個大當。」

瓊司十分快活，答道：「啊！你眞是滑稽極了，假使你在舞臺上，一定是個名伶。你喘氣的聲音已經是出神入化了，你那兩條衰弱模樣的腿，每星期足可爲你掙十鎊的工資，但是閃閃的眼光，仔細辨別，還是容易認出來。」

他道：「我今天在外面辦事，完全是這個裝扮的。因爲我做了偵探，那些無賴們多半已認識我，我的這位同伴，又常常把我所經歷的事情傳揚出去，辦起事來更困難。所以只能藉著喬裝，才能出去實地工作——你已經接到我的電報了？」瓊司道：「是啊，所以我才會到這裡來。」「那麼，你對於這案子要怎麼辦呀？」「一點頭緒也沒有。死者的弟弟和死者的管家婦都和這案件無關，我已經把他們釋放了。其餘兩人，似乎也不便把罪名加上去啊！」

「你不妨放了那兩人，我可用另外兩人補他們的缺。你在警界中的名譽聲望很好，你發出的命令，別人都會遵守的。這案件請你全權讓我處理，沒有等到最後的事務了卻，不要來阻止我。你可做得到嗎？」

「那當然可以！你能幫我的忙，我應當唯命是聽。」

「既是這樣，第一，就請你替我準備一艘平穩快速的巡查用汽船。你吩咐那船在今天七點，停在西敏寺碼頭。」

「這個容易，那邊常有警部所用的小汽船停著。我只要打電話過去，關照他們不要開到別處去就是了。」

「船裡還要有兩個有氣力的人，以防有什麼打鬥。」

「船裡本來就有兩三個人管事的，都是精壯可用。你還要別的嗎？」

「就是這幾樣，但是還有一件事也要請你答應我。罪犯捉住了後，那箱寶物必須讓我的同伴帶到他的女友那裡，讓這孤零的女郎親手打開箱子，看看這筆財產。華生！你以爲如何？」「這是我最滿意的了。」

瓊司搖頭道：「這手續卻有些顛倒了。案情如何，此時還有些難說。就算事實都和假設符合了，法理上那寶物也應先經過官方的開驗，方可發給有所有權的人。」

「不錯，這也容易處置。還有一件事你必須答應我。史毛爾捉住以後，我要先以私人的資格向他詢問，讓他自己說出罪狀來，然後再交給你。」

「你現在已經成了這案件的中堅人物，若是所料不差，這件事可以答應的。只怕未必眞有『史毛爾』這個人呢。假如有，恐怕也未必就能捉住他吧。」

「那麼，假使果眞把他捉住了，你可答應嗎？」「我當然答應。還有別的事嗎？」

「還有一件，我現在想請你吃飯，大約半個小時可以好。我準備了蠔和一對松雞，還有白酒。華生！你替我做一個陪客。」

第十章　泰晤士河上

我們共餐十分融洽，福爾摩斯擅長談論，心情愉快的時候更健談。今天是我和他相識以來見他最健談的一次。凡是音樂戲曲，乃至東方的佛理，世界將來的戰亂、願望及理想，他都高談闊論。所論又是極切合事理，似乎都有過湛深的研究。看他的神情，好似這幾天所鬱積的沈悶已經一掃而空了。瓊司謙虛、恭謹的情狀溢於言表，彷彿在懊悔以前的粗莽，現在眼見福爾摩斯的成功，不覺起了一種佩服的心。我因破案就在眼前，快活的程度和福爾摩斯一樣。

吃完了飯，福爾摩斯站起來，拿出錶來看了一看。他說道：「時候到了，我們喝一杯，慶祝我們的成功。」說時，就倒滿了三杯酒，我們各喝一杯。他又問道：「華生！你有手槍嗎？」

「有一把老式手槍，是從前在軍隊服務時用的，現在還在我寫字檯的抽屜裡。」

「快去拿來。寧可備而不用，不要用時沒有預備。」他低下頭去，看著樓下，又道：「我叮囑的馬車，六點半鐘會到這裡來。現在已經在門外等候了，兩位快去吧！」

上了車，福爾摩斯只是說些雜事，一點也沒有提起案情。大約七點鐘左右到了碼頭，一隻小汽船已經停泊在河邊。

福爾摩斯看了一會兒，問道：「這船是警部用的嗎？船上有警察的記號嗎？」瓊司道：「有的，那船邊的綠燈就是了。」「那麼，快點把綠燈拿掉。」

接著，就一同走上船去。我們三個人都坐在船尾。船上另有舵工一人、船長一人，各司其職，還有兩個警察，樣子很勇猛，坐在我們前面的艙裡。

我們都坐定了，瓊司問道：「到那裡去？」福爾摩斯道：「吩咐船長朝倫敦開，到了傑克柏孫船塢就停。」

開船以後，行駛平穩快速，兩邊的帆船雖是順風，沒有一艘不是落在我們的後面。從船裡看去，好似一部火車在那裡狂奔，帆船卻像那不動的車站，後來我們還追過了一艘小汽船。

他快活道：「我們的船如此迅速，這泰晤士河裡的任何一隻船都會被我們追上的。」

瓊司道：「是啊，這船速度極快。雖不見得是泰晤士河中最快的船，然而能和這船比的，也不多了。」

「既然如此，那『亞勞拉』號雖有快船之名，又能逃到那裡去？華生！我現在不妨把破案的經過告訴你，你要聽嗎？」「那眞是再好不過了。」

「我告訴你，起初，我因爲總是找不到這案件的線索，非常煩悶。但我暫時不去管它，仍費心試驗化學。古人說：『變換工作，是最好的休息。』我因此藉做實驗來休息。等到輕炭的分析成功了，精神大暢，然後再竭力研究案情。我想韋金斯一班人尋遍了泰晤士河不見『亞勞拉』號，那船又沒有回來，若說沈舟滅跡畢竟不是那麼容易，那麼必定有一個地方可容納這一隻小汽船了。我又想史毛爾這人雖機警異常，卻沒有學問，行動終不免疏忽。他在本廸邱利山莊偵伺的時候，已費過好一番功夫，想來附近必定設有一個巢穴來處理這一件事。這巢穴設著既不是一天兩天，那麼，取消也不是倉卒可以做到的，算起來，至少也要一晝夜的時間，既是要一晝夜的時間，那麼，『亞勞拉』船必另外有躲藏的地方便可想而知了。」

我道：「不！這話未必正確。他在行兇以前，既有從容布置的時間，寶物到手後，自然也一走了事。何必要等行兇以後，再躭擱一天，自投羅網呢？」

「不對！史毛爾覬覦寶物已經有好幾年了。他行兇以前，雖已得到內線的消息，終不能一舉得到寶物。既是不能，豈肯把辛苦經營的巢穴，在沒有成功以前驟然撤去呢？還有另一個原因，他的同伴非常醜惡醒目，若不隱藏，就容易讓人懷疑，所以在夜間行兇，也在夜間逃走。史密司太太說，那木腳人隔窗呼喚史密司的時候已經三點鐘了。試想近來日長夜短，三點鐘以後，天色不久便即大明。若不在一小時內，讓他的同伴銷聲匿跡，那麼，天明以後人們勢必會注意到那小黑蠻人，事情也就敗露了。你想以史毛爾的機警，肯這麼辦嗎？所以我料定他們登船以後，走沒多少路就又重行登岸，帶著他的寶物，藏在他所設的祕密巢穴裡，一面厚謝史密司，叮囑他不要聲張，一面在巢穴裡看報，觀察警部的動靜，幸而這兩天的報紙，都和史毛爾沒有關係，史毛爾自然也放懷得意，從容撤去他的巢穴，等到布置妥當，他便可趁夜間從格拉弗斯特或是陶恩斯兩處登上輪船，然後照他初定的計劃，開到美國或是加拿大，遠走高飛。那時就算你法網大張，也無可奈何了。」

「你的話雖有理,但這麼大一艘『亞勞拉』汽船,能夠帶到祕密巢穴裡去嗎?」

「我料想那汽船雖不在河上,也不會離河太遠,因爲事情還沒有大定,這汽船還有需要的時候,若距離過遠,到應用的時候再招呼就不方便了。史毛爾是細心的人,我現在設身處地替他想出了一個好地方來,就是到船塢裡去修理。這樣,警察既不容易探得這船的蹤跡,到了要用的時候,招呼也很容易,因此我想來想去,認爲實在沒有比這樣更兩全其美的方法了。」「是啊!這是顯而易見的。」

「世間惟有顯而易見的事,能夠在頃刻間被忽略過去。我既見到這一點,就換上水手的裝束,沿泰晤士河而下,問遍了各船塢,到第十六個叫傑克柏孫的船塢,果然尋著了『亞勞拉』號。據修船的人說:『兩天以前,有一個裝木腳的人,說是船舵已壞,要來修理。我們查看他的舵,和新的一樣,毫無損壞。然而那人卻硬說是壞的,一定要修理,並且答應多出些錢。我們沒有法子拒絕,只得答應他。』正說到那兒,有一個人醉醺醺地從船裡走來。發出模糊不清的聲音說道:『我是「亞勞拉」船的主人毛廸開・史密司,你知道嗎?』又對廠裡的人說道:『今夜八點鐘,我的船要出塢,開到別處去。你記著!今夜八點鐘!不要耽誤!因爲有兩位紳士,一定要在今夜八點鐘開行。你不要誤了我的事。』他說完了,仍慢慢地走出船塢。走時抖動他的衣袋,先令的聲音鏗鏗鏘鏘,好像表示他近來運氣很好,非常富裕。我見他出去,也跟了出去,曲曲折折走了很久,見他又走進了一家酒店裡去,才知這人嗜酒如命,喝酒以外,幾乎沒有世界。我暗忖跟著他也沒有益處，因此仍舊回到船塢裡。恰巧逢見一個小孩是隸屬於我們韋金斯部下的，就命他在水邊等候，等『亞勞拉』開行的時候，揮巾爲號。現在我們的船到傑克柏孫船塢的時候，可以停在河中，不要靠近船塢，但見手巾揮動，那船離開船塢，我們便追下去，就百無一失了。如此安排我想一定可以人贓俱獲的。」

瓊司聽了，道：「無論史毛爾是不是眞兇，你的安排，已足令人佩服了。但如果我是你，必定立刻召集許多警察，吩咐他們守在傑克柏孫船塢裡，等史毛爾到了，就上前捉住他。這樣，不是更省事嗎？」

「這樣做我不贊同。史毛爾既是專門做壞事，船塢附近總有手下替他偵探，如果警察到了，史毛爾不是愚笨的人，當然不會身入險地。須知史毛爾的寶物既已得到，如果沒有人揭發他的祕密，這麼大的倫敦，隨便什麼地方，都可以逍遙自在，只要他一星期不到船塢，我們派許多警察在那裡偵候，只會讓我們疲勞不堪。況且除了『亞勞拉』一艘船以外，難道沒有別的法子可幫助他逃跑嗎？」

我道：「何不先把毛廸開．史密司捉住，讓他供出罪犯藏匿的地方來。」

福爾摩斯道：「這一著似乎很巧妙，其實還是很笨，不過多費時間罷了。史密司這人糊塗得很，只要給他酒喝，給他錢用，凡事都可以不問，因此罪犯的巢穴他不見得一定知道，既不知道，捉住他又有什麼用處？許多方法我都考慮過了，只有現在這一個法子，似乎比較好一點。」

此時，我們的船已經過了幾座橋，將要到市郊了。紅日已向西沈，一抹殘光，反照著聖保羅教堂的屋頂，成了金黃色，靠近倫敦塔之後，夜色蒼茫，遠處已辨不清楚了。

福爾摩斯遠遠指著一處桅牆林立的地方，說道：「這就是傑克柏孫船塢了。」他就從衣袋裡摸出望遠鏡來，望了一會，又道：「我已瞧見我們的小偵探隊了，但是他還沒有揮動手巾。」

瓊司似很性急，說道：「我們的船可以移到下游附近，等『亞勞拉』出塢，就上前捉住他，這樣似乎比追趕來的更方便。」

這時候船上的人沒有一個不躁急的，就是那兩個警察和船長的舵工，嘴上雖不說，看他的神色，也都躍躍欲試。

福爾摩斯答道：「停在下游，確實方便，但是在這緊要關頭，事事要求萬穩萬當，我雖判定它必向下游逃去，但萬一罪犯狡獪，反向上游走，那麼，我們的計畫就全泡湯了。停泊在那裡，不是就出岔子了嗎？所以不如就停在這裡。上游或是下游，到那時一撥舵就行，並且船塢就在眼前，孩子們揮巾時也很清楚，罪犯卻瞧不見我們，位置再好沒有哩。華生！你見得船塢裡煤氣燈光下，往來的是誰嗎？」

我道：「是，我可以看見。這是船廠裡的工人啊。」

他在百忙中，往往喜歡高談哲學，好似沒有什麼事在他的心上一般。這時他忽道：「他們外表雖是粗陋，天性卻是善良的。我們不應當見他們骯髒的外貌，就輕視他們的人格。人是一種奇異的動物，不論什麼人，不論尊貴或貧賤，人人都有良知，這是一定的。」

我道：「無論何種動物必定有靈魂，人的良心就是靈魂啊。」

他道：「溫何禮特曾經研究過這一點。他說：『人們初生的時候，好似未經提煉的礦石，等到他和社會接觸，就變成一種機械了。善惡之間從此分開，已不容易挽回。』所以在人們剛踏入社會時，我們雖不能斷定他將來要做什麼事，可是他將來成爲怎樣的人，卻是可以預料的。不過人格雖不同，良知卻永遠不滅，凡是研究性的統計，都是這樣說的。」

說到這裡，他忽然舉起手來，指著船塢道：「那邊不是手巾嗎？」我道：「是的，就是你的偵探隊。我可以瞧見的。」

福爾摩斯道：「那麼，那邊是『亞勞拉』號了。機工！趕快開足馬力！追那艘黃燈的汽船！天哪！他已知道我們的計畫了。」

那時『亞勞拉』號已經開出船塢，向下游很快地開行。片刻間，已趕過河上的幾艘商船。瓊司見了，只是搖頭。

他道：「這船神速極了。我們要追到它很不容易。」

福爾摩斯咬牙切齒，說道：「我一定要追上他！機工！快加些火力！用盡全力！就是燒掉了我們的船，我們也要追到它！」

機工聽了，就拚命把煤加上去。汽笛狂吹，引擎也格格地狂響。火聲轟轟，也因此加壯了我們的膽量。船在水裡，好似一隻巨大的動物，乘風破浪而進。河水本來是靜止的，可是我們的船猛烈地開動，浪花就從船舵的左右，分開著濺起來。船頭上掛了一盞黃色的大燈，光線射得很長。河面上正對著我們船頭的地方有一點黑影，就是『亞勞拉』號，他尾部的浪花捲起，像一堆堆的雪，足見他動力的神速。那時河上船隻極多，往來好似穿梭一般。我們的船橫穿側繞地過去，掠過許多船隻。恐怕在黑夜中誤撞別船，因此一面前進，一面還大聲鼓噪。『亞勞拉』雖然很快，我們的船也是拚命地追趕。

福爾摩斯不時看著火艙，火燄薰灼到他的臉上來。他還在狂喊道：「加動力！機工！加動力！就是剩一磅的煤也要加上去。」

瓊司的眼睛盯著『亞勞拉』船，說道：「我們的船已經接近那船，不久可以追上了。」

我道：「是啊！再隔幾分鐘，那船必定被我們追上了。」

正在這時候，不幸的事來了。忽然有一艘汽船拖了三隻貨船，橫在我們的前面，好似故意阻擋。我們的船急速撥轉舵來避開它，幸好沒有碰撞，然而離『亞勞拉』已經有二百碼的距離了。只是望過去還能夠看得見，沒有離開視線以外，這時暮色已重，星月漸升，福爾摩斯見那船相隔漸遠，又催促機工，機工也發憤了，不管危險不危險，用巨大的鐵剷剷足了煤，倒向煤爐裡去。汽鍋也膨脹到極度，船身震動得比以前更加劇烈。不多時，已經穿過一個小湖，掠過西印度船塢和第特福特船塢，又繞過狗島的旁邊，離『亞勞拉』又漸漸的近了。瓊司急速把我們船上所設的探照燈旋準了光頭，照在『亞勞拉』船上。那船上，有一個人坐在船尾，兩腳跨著一個黑色的東西，還有一個黑物在他的旁邊，似乎有毛的，極像紐芬蘭種的狗，一個小孩把著舵，大概就是史密司的長子。史密司在艙裡火光濃烈的地方，曲著身，彎著腰，兩手拚命把煤送到煤爐裡，一刻也沒有停止。看他們的樣子，似乎初出船塢的時候，船裡的人並不知道我船在那裡追逐，等到瞧見我們的船曲曲折折地跟著，才知道我們是特地爲追趕而來，他們也就不能不竭力地狂駛了。追到格林威治，兩船相去不過三百步，到了白拉克華爾又近了五十步，相隔只有二百五十步光景。啊！我曾經打過獵，也到過不少地方，然而總沒有像今天一樣冒險。我們竟在泰晤士河上不顧性命發瘋似地追人！這時候我們的船和前面的逃船一步步接近了，夜已深，什麼聲音都沒有了。因此『亞勞拉』的機器聲，更聽得一清二楚。看那坐在船尾的人，仍舊坐在那裡，只是已不像之前那般從容，驚恐的樣子全露在臉上，他時時回過頭來看我們的船，似乎在估量兩船的距離，兩手不停揮動，十分忙碌，不知道做些什麼。後來我們的船追得更近了，兩船距離只有四隻船的空隙。瓊司大喊道：「前面的船，快點停下來！」那船不答應，開得更快，我們又一步步緊追，大家都把性命放在腦後，一邊逃、一邊追。不久，已近河口，一邊岸上是裴京平地，一邊是柏倫斯坦荒野，非常冷清。那時坐在船尾的人忽地跳起來，握拳透爪地向我們的船大罵，那人容貌醜陋，聲音粗大，一望便知是個有力氣的蠻漢。之後他站了起來，下半部也看得清楚了。他的右腳，的確是一段木頭做成的。那旁邊蜷伏的黑物，聽見了他的聲音，也在那裡蠕動，那東西慢慢地站起來，原來是個黑人，體格的短小是我從來沒有見過的，然而頭很大，頭髮蓬蓬鬆鬆，樣子可怕。那時福爾摩斯已經拿定了手槍，我見那黑人，也拿出手槍來準備。那黑人身上裹了一條黑絨毯，不見身體，只露出臉部，然而只消一見這醜惡的面目，已經足以使人夜裡做惡夢了。他的膚色極黑，眼睛極小且凸了出來，好似兩顆銅鈴，並且凶光閃閃，又彷彿兩盞火；他嘴唇極厚，向上翻，血牙完全露出；臉部筋肉突起，張開了血盆大口，向我們的船狂罵，聲音怪異，很像獸鳴。

福爾摩斯輕輕對我說道：「那東西很毒，你見他舉起手來，就趕快開槍，不要讓他先發毒刺，否則我們必定死在他的手裡。」

我道：「是！」那時兩船只有一船的距離，看得格外清楚了。白人指手畫腳地罵，小黑人跳腳拍手，發出磔磔格格的怪聲來。後來從腰裡摸了一下，摸出一個圓形木質的東西來，和學校裡所用的尺規有點像。他把那東西放在唇邊，我們也立刻扣板機，兩槍齊發，打中了黑人，黑人向上翻了個筋斗，便從船舵邊滾下水去，在波浪裡忽沈忽浮，眼光還在那裡閃閃爍爍，沒多久也就失去影蹤了。那時白人見事情危急，自己趕到船頭上，用力扳動舵柄，那船忽轉向南去，我們也朝著同一方向追去。沒有多久，『亞勞拉』漸漸靠近河的南岸，岸上荒野冷清、月色暗淡，沿岸蘆葦隨風搖擺，蕭蕭颯颯地作響。我想這木腳人撥船向岸，一定想登岸逃遁，一剎那間，我們的船距離『亞勞拉』只有幾呎，再一眨眼，『亞勞拉』已衝到岸上擱淺了，船頭聳起，船尾沒在水裡，木腳人窘極了，立刻從船裡跳到岸上，可憐的木腳又陷在泥裡，掙扎了很久，始終拔不出來，並且越動越下陷，漸漸陷到膝蓋邊，一步也不能移動，只能用左腳掙扎，狂喊運氣不佳。我們看了，不禁大笑起來，就把船靠近岸邊，從船上拋一條長繩過去，套住木腳人的肩膀，以捉魚的法子把他拖到船裡，木腳人長嘆了一聲，低頭認罪，也不再想逃走了。這時候『亞勞拉』擱淺

我們從船上拋一條長繩過去，套住木腳人的肩膀。

在水灘上，史密司父子倆仍呆坐在艙裡。福爾摩斯吩咐兩人以鐵鍊拖住那艘船，我們的船開動了引擎，『亞勞拉』就從泥地裡恢復了自由，史密司父子倆見狀似也快活了。『亞勞拉』船尾有一個黑色的鐵箱，就是木腳人坐的地方，拿起來十分沈重，大概就是連累歇爾托受禍的寶箱。我們想要開箱，沒有鑰匙，就把它運過船來，放在艙裡，等我們部署妥當，才吩咐機工轉舵，向西回去。這時船行得很慢，不再像來時匆忙，船上除了木腳人以外，都是笑容相對，到了先時打死黑人的地方，我們以燈光照水，已不再見黑人的蹤跡。我想這黑人不遠萬里而來，想不到竟死在泰晤士河底的沙泥之中，這也是殘忍行兇的報應啊！

福爾摩斯指著艙面，說道：「你看！」我依言看去，船艙上有一根毒刺，大概在我們開槍的時候放過來的。幸好沒有被它射中，否則我們也早死了，福爾摩斯對著毒刺聳肩嘻笑，和平時一樣的快活。我回想方才的情景，彼此的性命都在一瞬之間，還覺得十分驚恐。

第十一章　大宗阿克拉寶物

那一個鐵箱，本是這批罪犯等了好幾年，費了千辛萬苦得來的，現在忽然到了我們的手裡，他的心裡當然有說不出的難過。這時那木腳人仍對著鐵箱坐著，非常沈悶，我趁此機會，細細看他的容貌。他的面色極黑，很像鬼怪，兩眼閃爍地轉動，兩頰皺紋很多，七橫八豎，我想他必定時常曬太陽，飽受風霜，才成這樣模樣；他剛毅的性情，可以從兩頷上看出來，頷骨闊大而外突，虬髯森森地遮滿了嘴巴，這種面相一望可知決不是優柔寡斷的人；他的頭髮短而濃黑，間或有幾撮白髮夾雜其中，我猜他的年紀，大概在五十左右。這人平時似乎不是多憂慮的，此時悲憤之氣卻滿佈兩眼，他低下了頭，以手上所帶的手銬敲打著膝蓋歎氣，或張大了眼睛，看著鐵箱，看著我們的面孔，發出可怕的冷笑。

福爾摩斯拿出一根雪茄來，點著了火吸著，慢慢地問道：「約納生・史毛爾，我很抱歉，也沒想結果是如此。」

史毛爾直接回答道：「是！先生！我也沒有想到結果竟會如此，但是請你相信我，歇爾托的兒子白沙洛——我本來不想殺死他的。怎奈呑加這傢伙天性殘忍，不聽我的命令，就用毒刺殺死他，我當時見了也十分憤怒，立刻用繩尾打他，然而死者已經不能復活了。」

福爾摩斯道：「吸一根雪茄吧！而且你身體已濕，喝一些酒吧！」他說時，取出雪茄給他，又親自拿酒瓶過來，斟了一杯，拿給他喝。

福爾摩斯問道：「你怎麼料定這弱小的黑人能夠抵抗白沙洛，就冒險攀繩而上呢？」

史毛爾道：「你已知道我攀繩而上？你對這事既然已像親眼所見一般的明瞭，我怎能不把事情告訴你呢？我攀繩而上是想偷取寶物，心中並無殺機。當時是白沙洛平時吃晚餐的時間，如果他仍照著老習慣去吃晚餐，我們乘隙而入，盜寶而去，既可不必抵抗，更無需用毒刺，誰知白沙洛那晚偏偏不出去，吞加又太殘忍，就意外的釀成了血案。但是假使主人不是白沙洛，而是歇爾托本人，那麼，我殺死這個老賊，就像吸這雪茄一般，毫無憐惜。現在老賊未受懲罰就先死去，竟禍及他的兒子，他兒子和我沒有冤仇，卻因我而死，我心中眞是十分不安。」

「現在，你已經屬於蘇格蘭警官瓊司先生所監管，殺人越貨的罪行再也不能逃免了。但是瓊司先生很仁慈，把你押到我家裡，讓你在未審以前先招供。你如果能夠把所有的情形盡行說出，我或許可以幫你一點，讓你的罪名減輕些。我知道吞加的刺毒性很厲害，一進入皮膚，立刻就會死的，我想在你上樓的時候，白沙洛大概已經死了。」

史毛爾道：「是的，我上樓時，見死者仰起了脖子，露出可怕的笑容，我幾乎嚇壞了。因爲我雖請吞加當助手，但吞加殺人我還是第一次看見。那時我恨極了，假使吞加不逃，我一定要打得他半死，事後吞加告訴我，他在匆忙之際，掉了一小盒毒刺在房裡。啊！如果沒有這一個失誤，我那裡會被你們捉住呢？雖說你們探案高明，往往出人意外，但是這一個小盒子，著實幫助你們成功呢。」他勉強笑了一笑，接續道：「這是我自己不好，本不能怨怪你們的。這事離奇得很，我爲了那五十萬鎊的寶物，冒了這個險，若把前後經過回想起來，眞是可笑。我前半輩子囚禁在安達門荒島，經歷過別人沒有經過的危險，受過別人沒有受過的苦難，但是假使這寶物到了我的手中，我還可以在達特摩爾建築山莊，享後半生的福，補償前半生的損失。可是天竟不饒赦我，一定要讓我把後半生也斷送在監獄裡。這麼看來，這一大批寶物實在是世間惟一的毒物，得著了非但不能享福，反而足以召禍，現在回想起來，眞是懊悔碰見那印度商人阿克梅特。當我初見這人的時候，以爲此後將轉入佳境，享用不盡了，誰知碰見他的日子，就是罪惡的開端，讓我永遠在地獄裡，不能翻身了。不單是我吃了阿克拉寶物的苦，就是阿克梅特也因此惹了殺身之禍，蒙斯吞上尉因此不得善終，歇爾托老賊因此憂懼而死，我和我的同伴也因此陷入牢獄之災。」

瓊司這時從外面走進艙來，聳肩笑道：「你們三個人好似一家人。我得喝一杯酒，慶祝成功。雖是我們只捉住一人，然而一人已死，也可以無慮了。福爾摩斯！想不到你推斷事理這樣神明，竟出我意料之外呢！」

福爾摩斯道：「這事已完全成功，結果總算圓滿，但是我想不到『亞勞拉』號竟有這般動力。」

瓊司道：「史密司說，這船在泰晤士河上速度算是第一了。如果還有一個人幫助，那我們的船絕對追不上它們。然而史密司自己陳辯，他完全沒有參與血案。」

史毛爾道：「是啊，史密司的確沒有和我

同謀，我也沒有告訴他一個字。我因他的船跑得很快，所以出重價雇他。並且和史密司約定，如果能夠開到克拉維生特，和我自備的汽船『愛史滿拉德』號相遇，等船開到巴西，那麼，船價以外另有重謝。史密司貪我的錢，因此替我做事，對於我奪取寶物的事，實在一點也不知道。」

瓊司道：「既然如此，他沒有罪，自然不能胡亂科罰，而且我們的職責是在追捕，按律論罪的事，原本就不能在短時間決定的啊！」他說時面露得意之色，似乎捉到罪犯便證明他的尊嚴和破獲的功勞。福爾摩斯看了他的神情，略露些不屑的樣子。我也因爲他毫無功績而如此驕傲，有些輕視他。

停了一會兒，瓊司又說道：「這裡離克斯哈爾很近了。華生醫生，到了橋堍，你可以帶這鐵箱上岸，這一點我負著重大的責任。原本照例贓物必須先由官方開驗，然後發還原主。但我們既有成議在前，自然不能失約。不過帶這鐵箱去，責任很重大，我會派一個警察保護你。你坐車去嗎？」我道：「是。」

瓊司道：「可惜沒有鑰匙，否則警方不妨先打開看他的內容究竟如何，你帶了去，恐怕也要敲破箱蓋，才能夠看呢。罪犯！鑰匙到那裡去了？」史毛爾道：「在泰晤士河底。」

瓊司道：「啊！我們三人已經爲了你大費心力，到了就擒的時候，你還要爲難別人，你平時一定作惡多端，現在才有這報應懲罰你。醫生，這事應很謹慎，不必我再叮囑，你回來時必須帶了這鐵箱，到貝克街和我們相會。我們未往警局以前一定先在那裡休息，並且等候你回來。」

那時，我們的船已經到了克拉維生特橋，水手把船傍岸，我提了這笨重的鐵箱，上岸就雇了一部車，瓊司派了船上的一個警察陪我，和我一同上車那人體格魁梧，似乎有很大的力氣。車子走了十五分鐘左右，到了西西爾．弗來司特太太那裡，一個女僕聽見了敲門聲出來開門，見我深夜到來，臉上露出驚訝的神情，她問道：「先生爲何這麼晚來訪？太太已經出去了，出去的時候說，要到半夜才回來，現在只有蒙斯呑小姐在客廳裡。」我就吩咐警察在車上等候，自己提了鐵箱，一逕走進客廳。

蒙斯呑小姐靠窗站在一隻籐椅邊，全身穿著白色的衣裳，腰間和頸間，都束著紅色的帶子。房內的燈火光線很柔和，她站在那裡，蒼白的面龐映著燈光，格外顯得幽嫻莊重而孤零可憐。她美麗的細髮，在光下飄拂，絲絲都映著金黃色，她一手放在椅背上，肌膚潔白，從後面看去，更令人心醉。這時她佇立著不動，心中似乎有許多思慮。等到聽見腳步聲音，回過頭來，一見是我，兩頰霎時泛起紅暈。

她又驚又喜道：「我聽見門外車聲，以爲弗來司特太太回來了，那裡想得到是你呢！你帶了些什麼消息來？」

我一面笑，一面把鐵箱放在桌上，答道：「我帶來的東西，比什麼消息都好，恐怕世界上任何消息都不能和這東西相比了，因爲這東西是小姐一生的幸福啊！」

她道：「那麼，就是那寶物嗎？」說時語氣極淡漠，不像尋常女子，一聽見寶物兩字，要發狂似地跳起來。

我道：「是的，這鐵箱中就是阿克拉寶物，一半屬於你，一半屬於薩廸司．歇爾托，你們每人所得應在二十萬鎊以上。你想，二十萬鎊的資產，年年坐收利息，至少也可以得到一萬鎊，試問倫敦婦女中可有像你這般一夜致富的嗎？」

她道：「我是個孤苦伶仃之人，若不是你的助力，那能如此？」

我道：「不！不！我不敢當這種稱譽，你所以有今日，都是受我的朋友歇洛克．福爾摩斯之賜。此人料事如神，世界雖大，只要他一動腦，就是再細微之事，也不能逃遁。雖然這事很危險，但這一箱寶物，終究還是到我們的手裡。這一半雖是人力，一半還是天意。假使天意不如此，『亞勞拉』不擱淺，恐怕還是會失敗，讓罪犯逍遙遠去呢。」

她道：「那麼，這中間一定有奇異的新聞。你如果沒有要事，請略坐片刻，把這事告訴我，也好解我的寂寞。」

我就把福爾摩斯如何偵探，『亞勞拉』如何被發現，瓊司如何誇大，今夜如何追趕，兇犯如何強悍和小黑人如何被打死，一一說出來。雖是不過說些大略，然而她已經聽得津津有味，唇張目定，好似聽什麼小說，講到毒刺留在艙面，我們幾乎遭他們刺死的事，她不禁臉色慘白，幾乎昏倒。

我立刻走到桌旁，倒了一杯開水給她喝。她道：「不必了，幸好你沒有被他射中，我就放心了。」

我答道：「過去的事都兇險可怕，以後不會再提起了，光就眼前的好運來說，也堪安慰了。這鐵箱得到以後還沒有開過，因爲一半屬於你的，所以我帶來請你自己打開來看吧！這樣做你贊同嗎？」

她道：「這再好也沒有了，我非常高興。」她引手撫摸那個鐵箱，又道：「很精美的，大概是印度製造的。」

我道：「是的。這是印度彭奈爾斯製品，在工藝界很有名。」

她兩手捧起鐵箱，估量箱子的重量。說道：「重極了，就是這一個空箱，已經值不少錢了。但是鑰匙在那裡呢？」

我道：「已被賊人丟到泰晤士河裡去了。我們可以借弗來司特太太家裡所用的鑰匙試試看，如果對了，就不必再喚工匠了。」

她取出一串鑰匙。我見鐵箱的前面，有一根鐵栓，鐵栓上刻著一個佛像，佛像下面有一個小孔，我把鑰匙放進孔去，一試就對，轉了一轉，箱蓋就開了。在一般人看來，必以爲這時候我們倆一定快樂得難以形容了，因爲開了以後，中間的寶物勢必歷歷可數了，誰知卻大大不然。箱蓋開後，我的身子開始發抖，她也呆住了，我們都一聲不響。原來箱中空空如也，那裡有什麼寶物，既然沒有東西在內，又爲什麼如此沈重呢？仔細察看，全箱都是用純鐵鑄成，有三分之一英吋厚，專門貯藏寶物用的；所以體積雖小，卻十分笨重。

停了一刻，她才說道：「寶物丟了。」那時我暗想，寶物既已失去，她或許可以嫁給我，我們倆的愛情反倒沒有阻力了。無意之中，我忽喃喃地說道：「感謝上帝。」

她感到奇怪極了，問道：「你怎麼這樣說？」我握著她的手答道：「寶物不失，我不敢高攀。我自從和你見面以後，心中的情愛被寶物箝住了我的口，竟不能說出來。現在寶物既失去了，我可以把『愛你』兩字說給你聽了，我也要感謝上帝。我失去了寶物，卻得到了你。」

我又把她攙近了些，她也低聲道：「那麼，所以我才說感謝上帝。」

第十二章　史毛爾的供狀

門外馬車上的警察等候很久了，但是卻一點也沒有厭倦的表情。我把空箱給他看，他也大感失望。

他道：「這麼一來我的獎金也沒了。否則，今夜我和山姆・布朗可以各得十金鎊的鈔票。」

「你不要失望，薩廸司・歇爾托先生是一個富翁，不論寶物有沒有得到，總要大大地酬謝你們一番的。」

警察心裡總有些不快，搖頭道：「這事眞十分掃興，我們千辛萬苦，結果竟是如此。恐怕不單是我一個人掃興，就是瓊司一定也會大大失望呢。」

我點點頭，就重新上車。到了貝克街，福爾摩斯等三個人已經先到。但是他們到的時間也沒有多久。因爲他們起初想先回貝克街的，後來改變計劃，先到了警局裡去報告，然後押著罪犯到這裡來。當我把空箱給瓊司看的時候，果然不出那警察所料。我見瓊司的神色大變，兩手握著，不時地歎息。我友福爾摩斯雖也驚訝，然而因爲寶物的得失和他沒有一點利害上的關係，所以仍舊安臥在椅上休息。史毛爾坐在福爾摩斯對面，把木腳擱在左腳的上面，格格地苦笑。

瓊司叱他道：「惡徒！寶物那裡去了？是你丟掉的嗎？」

他一聽笑得更起勁，他說道：「是啊！是啊！我已經丟到人跡不到的地方去了，你們永遠不能拿到我的寶物。你們要知道，這一批寶物理應歸我所有，我既不能安享，豈有讓別人受用之理。我現在告訴你，這世界上，除了安達門島上的三個罪犯和我以外，無論任何人，都沒有享受這寶物的權利。現在我自己知道不能享用，他們三人也是如此，我就有權把這大批的寶物丟掉。你們如何可以責備我？我從印度到英國來，停留了好幾年，吃過不少苦頭。每次都是我一個人代替四人做事，所以我每逢做了一件事，必定留一張紙片，寫下四個人的簽名字樣，讓別人知道我不是無端到來。當我失敗的時候，你們追得很急，我就狠心把寶物抛到泰晤士河裡去，以洩我們四人之恨。這樣，我們雖無福享用，但也不至落到歇爾托或是蒙斯吞兩家人的手裡去。因爲我們謀殺阿克梅特，奪取寶物的目的，本是爲我們四人的利益，並不是替別人造福，那歇爾托・蒙斯吞兩家的人，如何可以染指呢？那寶物和鐵箱的鑰匙都在吞加落水的地方。你們大費周章，卻不能得任何的酬勞，我也替你們惋惜。」

瓊司更憤怒了，狠狠地道：「騙子！太可惡！你要丟掉這寶物，索性把鐵箱一起丟掉就是了，爲什麼還要把這空箱留著給別人？」

史毛爾斜視著他，冷冷地道：「丟掉它容易，撈尋它也容易。你們能夠在河上捉住我，難道不能夠在河底撈起這隻鐵箱，現在我已把寶物散落在河裡，河有五英哩長，就是再聰明，恐怕也沒辦法想了。當你們窮追我船的時候，我憤怒已極，不能抑制，就把這寶物都抛棄了。雖是太犧牲了，事後也並不懊悔。因爲我生平做事，不論適當不適當，既已做了，絕對沒有後悔的。不比那些婦人女子，起初發火，把牛奶倒翻到地上，後來氣消了，又要對地上的牛奶掩面哭泣哩。」

瓊司道：「你的心計惡毒極了。史毛爾，你如果略存公義，那麼，審判的時候，或許可以減輕你的罪名。」

史毛爾嗤地一聲，說道：「公義嗎？這種好名詞我不要聽。如果這寶物不是歸我們所有，依你的意思，應該歸誰？難道我們辛苦得來的東西，自己不能享用，卻要給陌生人享用？這樣顛倒是非，算是合於公義嗎？你現在對我說公義的話，大概還不知道我以前千辛萬苦的經過。我住在荒野燠熱的地方前後有二十年，白天在紅樹下做苦工，晚上手銬腳鐐加身。在監獄裡，蚊蠅成群，疫癘侵身，獄卒又很殘暴，我是經過了種種的磨折，才能夠逃到英國來，奪回這阿克拉寶物，你卻說我不顧公義，不肯把這寶物給別人，天下有這個道理嗎？唉！現在我想到做罪犯的苦，心裡驟覺刺痛。我寧可被警察鞭打，或者受吞加的毒刺，也不願再受牢獄之苦了。」史毛爾說得時候，激動得兩眼發紅，聲音粗暴，又夾著鐐銬的叮噹之聲，格外覺得慘厲可怕。難怪歇爾托少校，當初一聽見他越獄逃到英國的消息，就嚇得幾乎發狂，大概也因平時知道此人殘暴，如果和他結了仇怨，就無法抵擋的緣故。

福爾摩斯等史毛爾的氣憤略平，才對他說道：「你還沒有把事情的始末告訴我們。你雖說你在公義上沒有虧欠，我們也無從相信，你且詳詳盡盡地說出來，讓我們評一評理。」

史毛爾道：「可以的。你說話很公平，我必定聽命。我雖知道這一副銬鐐是你送給我的，然而我不會怨恨你，因爲你很夠意思，你做這事不是爲著獎金。我現在願意把一生的事蹟都告訴你，我可以請上帝做我誠實的保證，沒有一字虛假，你如果能夠把杯子放在我身旁，讓我講到口渴的時候，可以潤潤喉嚨，那更是謝謝你！我是英國完塞斯特郡人，那地方離伯爾休很近。我史毛爾一族在伯爾休素稱大族，族中人很貧窮，都是以耕種為生，起初貧無立錐之地，不到幾年，驟成小康之家。我喜歡游蕩，從小就在外邊胡鬧，雖也很掛念我的故鄉，可是故鄉的同族卻都不把我放在眼裡，我恐怕回去受辱，所以索性不回去了。我在十八歲時愛上了一個女郎，變得更窮困了，夜間細想，若不尋些生財之道，總會不了了之。那時恰巧國家徵兵，我非常高興，自信以後可以拿到國家的薪俸了，就趕緊入了第三師的軍籍，開拔到印度，我有飯吃，又脫離了情障，不是一舉兩得嗎？但是我雖當了兵，心裡卻只在軍餉上面，凡是士兵應做的事，像上操、托槍、開步這一類，我都依樣畫葫蘆地去做，可是實際的心思不在此。我喜歡游泳，卻又不很擅長，一天，在恆河中練習，半路上突然碰到了一隻鱷魚，右腳被他咬了一口，膝部咬斷，血流如注，幾乎暈去，幸好有一個同伍的班長約翰・呼爾特——他的泳技是全隊都佩服的，他見我受傷，就跳到水裡把我救起，背到醫院裡，總算救回一命。我住在醫院裡五個月，傷勢漸漸好了，就裝上了一隻木腳義肢，然而終身不能步履如常了。你們想，那時我還沒有滿二十歲，卻已經成了廢人，既不能在軍營裡吃托槍開步的飯，又不能做別的事，老天怎麼這樣對待我呢？不料我閒蕩沒多久，就有一個亞伯・懷特的人從英國倫敦來此，經營靛青的事業，要招印度人作工，缺一個白人做監工。

這人和我們軍營中的聯隊長相識，聯隊長可憐我是個瘸子，知道監工的事，痛子還可以做，就把我推薦過去。我的小腿雖給鱷魚咬去，但大腿還有夾緊馬背的力量，所以白天就騎著馬巡行田間，監督工作，晚上，就向懷特報告工人的勤惰，事情簡單，薪水又多，我就自己造了一所小屋，有了終身在靛青業裡生活的意思。懷特待人很和善，他在空閒的時候有時會到我的小屋裡閒談，一同飲茶吸煙。然而此種好運，竟不能長久，我做監工沒多久，忽然發生了印度大叛亂的事，事前一個月，各處一點消息都沒有，隔一個月，從休利肯特兩處蔓延到全國，一時各地都成了混亂的狀態，二十萬個黑鬼脫離了約束，那放肆橫暴的情形，你們總在報紙上見過，我識字不多，除了眼睜睜目睹以外，簡直沒有什麼可說。我們的靛青種植場在麥屈洛，是靠近印度東北的幾省，亂事既起，只好停工。每天晚上燒房子的火星四迸，十分可怕，白天常見歐洲人扶老攜幼，三五成羣的從種植場號泣而過到阿克拉去。阿克拉是一個兵站，有英國兵駐守，可以受到保護，附近的僑民,能夠托庇性命的,只有這一處地方，但是我的主人懷特頑固不明事理，他說印度兵的暴動不要緊，雖是來勢洶洶，剿平也並非難事，因此他常常高坐在露臺上喝威士忌酒，吸及洛特煙，逍遙自在，一點也沒想到殺身之禍就要來臨，我雖和陶孫竭力勸他防備，懷特總是不聽。陶孫也是英國人，已娶妻，是替懷特管帳和總理庶務。一天，是暢晴的天氣，我騎馬出去，視察我們的種植場有沒有損害，我走得略遠些，所以回來時已經傍晚了。我慢慢地回來，在山凹裡瞧見一個怪物，毛蓬蓬地血肉模糊，走近一瞧，原來是陶孫的妻子的頭，屍體已經分裂，大半給野獸吃去，只剩下殘餘的骨肉，眞是慘不忍睹，我再走沒多久，又瞧見一個屍體，手裡握著短槍，槍彈已經用完，那人俯臥在地上，瞧不清楚，看他的衣服，卻就是我的同事陶孫，屍體邊還有四個印度人的屍首，都是張目吐舌，憤恨不平的樣子，似乎和陶孫格鬥，卻給陶孫槍斃的，唉！那時我驚駭的感覺，現在已無法形容，只記得兩手揑著馬韁發抖，任憑馬蹄所至，一點也沒有自主力了。我的驚魂未定，遠處又起濃煙，火焰從一個屋頂上透出來，望去正是亞伯．懷特的住宅，那宅子的四面圍繞幾百個黑鬼，穿著大紅衣，對著火拍手拍脚地笑，後來中間忽然有幾個人用手指著我，接著就有兩個流彈從我的頭上飛過，我想懷特都不能自保，我還要在這裡做什麼，不如趁早逃走，我就拼命趕馬，連夜奔到阿克拉城，求他們保護。亂事一天天擴大，全國都震動了，暴徒們像狂蜂似地逢人便螫，阿克拉雖有安全之名，也沒有安全之實，因爲亂兵就是我們英國軍官訓練的兵，一切都有，軍械也是英國製造的，銳利無比。當初訓練的時候，想要用他們，是希望他們成爲精兵，現在這精兵卻反咬了我們，有些自備軍械的人們，雖結成團體，然而寡不敵衆，形勢已經不能控制了。因爲要倉卒成軍的平民，去抵抗訓練有素的精兵，於力量上是萬萬不可能的，況且亂事起了，土匪也利用這個機會，一塊兒鬧起來，區區僑民，平時沒有做過防衛的工作，驟然要他們去防兵防匪，眞是難事。阿克拉所駐的英軍，除了孟加拉步防第三隊，另有許多士兵，兩隊馬隊、一隊礮隊，以外還有一隊義勇軍，是商人書記等人臨時集合成的自衞團體。我因爲沒有事做，也到義勇軍裡去報名，軍中人見我身體殘廢，還肯盡僑民的義務，十分器重我，派我做輕鬆的事務，於是我的飲食起居，又有了著落了。那年七月初，我軍和亂兵在夏根地方開戰，亂兵敗退，我軍起初想追，後來因子彈缺乏，仍舊保守阿克拉城。以後雖是按兵不動，然而四面的警報已像雪片飛來，聽了很恐怖。就是這阿克拉孤城也是岌岌可危！阿克拉是印度中部都會中的一城，南面距離康頗亞不到一百英哩，東面距離拉克拿也差不多，雖然有兵駐防，因地方繁盛，無賴流氓，都視爲利藪，所以荒僻的郊野，劫掠暗殺的事，反比別處來得多。阿克拉有新舊兩城，新城就是我軍駐紮的地方，很適合通商，卻不宜作戰，軍人數量不多，散布在小街曲巷，立刻就隱而不見，不但防守困難，就是瞭望斥候，也不容易布置，因此，我軍的首領主張移駐舊城。在舊城和新城之間，橫亙著一條大河，從新城到舊城，景象大變，幾乎像從天上掉到地上。新城裡房屋毗連，道路平坦，住在那裡和住在倫敦無異；舊城就冷清不堪，我平生實在沒有見過像這樣的都會，至於你們，不要說是沒有見過，就是讀遊記也讀不到的。舊城地界極廣，好像沒有開闢的荒島，景象蕭條，又好像是古代的墳墓，中間雖也有舊時所建築的大屋，然而大半坍毀荒廢，已不能住人，骯髒的街道曲折高低，樹木遮蔽，陰森森的有些鬼氣，新城裡的人既怕舊城中藏躲著野獸，又恐怕走了進去走不出來，平時大家都警戒，不敢進去，若是偶然有人進去，一定是好事的青年們，才敢做這樣的冒險，然而若不是聚集許多人，點了大火把和敲鑼嘩噪，藉此壯膽，大部分的人終究還是不敢舉步的。但是以形勢講起來，舊城險要而容易固守，能夠守住了舊城，就可以做新城的屏障了，我軍的領袖計畫了很久，後來就決定把軍隊移駐到舊城裡去。舊城一面靠河，亂兵不可能飛過來的，所以不必守，其餘三面，都有城牆。城上有許多門，爲防守嚴密起見，本應在各門上都駐些兵，然而我軍人數既少，軍械又缺，不夠分配，不能不另外想一個救濟的辦法，因此，在城裡設立了一處防務總部，全軍的主力軍，都駐紮在那裡，各城門又各設一處警哨處，派一個白人，領兩三個印度人輪流放哨探聽。部署安妥了，我也受派做警哨，哨地在城的西南角，城門很小，比他處更荒涼，屬下有兩個印度兵做我的衞隊。接受任務的時候，我軍領袖對我說：『若得到警訊，你就鳴槍，防務總部聽見了槍聲，會立刻來援助。』我嘴裡雖答應，心中卻很懷疑。暗忖哨地距離總部很遠，萬一有亂兵打來，總部的主力軍能夠來得及援助嗎？而我是新兵，又是殘廢的人，軍中的領袖既把這警哨的重任給我，還撥兩個士兵聽我指揮，我就是沒有能力，怎好不勉爲其難呢？兩個士兵，一個叫謨罕默德·心格，一個叫阿勃度拉·罕，都容貌奇醜，但勇敢慣戰。細利亞瓦拉戰事時，兩人原本隸屬亂軍，和我英兵抵抗，亂軍戰敗，他們就投降，他們在英軍中多年，自以爲能夠說流利的英語，其實他們的英語中間仍舊夾雜些印度話，不是很不容易分辨清楚。我受命以後，每夜必定站在城門口，往下望城外的河道和新城中閃爍的燈火，藉此解些寂寞，軍中鼓號的聲音和遠地亂兵吶喊的聲音相應，一夜到天亮，不曾中止的。住在那裡，自己都覺得很危險，每過兩小時，必定有一個值夜的軍官到我的哨地來視察一遍，恐防有什麼疏忽。我常約略地和他說幾句話，藉以減少沈悶，這樣我過了兩夜，第三夜，霧氣重得很，間或有些濛濛細雨，抬頭一望，四面都是黑漆漆的。我站著很無聊，勉強學些印度語和士兵談話，但大家彼此並不十分明白。到半夜兩點鐘，我倦極了很想睡，把槍放在地上，拿出煙斗來，點著了火吸著。一個印度兵突然從地上拾起我的槍對準我，還有一個以大刀架在我的頸上，咬牙切齒地罵我：『你敢動一步，立刻打死你。』我嚇得手腳發軟，想這兩人必定是亂兵的內應，現在用軍械挾制我，要我開門降敵。我若爲求保命，讓他挾制，城門必破，城裡婦孺的命運必定和康普人一樣不幸，我負著斥候的責任，天良未滅，怎肯如此。不如拚命狂喊，讓總部知道，早些有準備，我的主意方才打定，但沒等到我發聲，那兩人似乎已知道我的想法，一個人低聲道：『不要出聲！我們的事和守城的事一點也沒有關係。你不要疑心我們是亂兵，那些亂兵，那裡能夠渡河而來呢？』我看他的神色，似乎說這話非虛假，就說道：『既是和守城的事無關，快些說出原因來。』一個身材高大，形狀兇惡叫阿勃度拉・罕的說道：『你聽著！現在有兩條路，你可以自己選擇。一條路是和我們合作；一條路是我們讓你永遠不會再出聲。你若眞的肯和我們合作，須把你的靈魂供在耶穌十字架的前面，自己發一個誓，否則，不等天亮，我們倆必定把你丟到城下河裡去，然後投降亂兵，英軍又能夠怎樣呢？有生死兩路，你仔細地想一想，我限你在三分鐘以內答覆。』我道：『你們不把所做的事明白告訴我，我從何決定？假使這事關係全城的安全，我決不肯依從的。你快用手裡的刀殺死我吧！不要多說了。』阿勃度拉．罕道：『這事和守城一點也不相干。我現在問你，你們英國人千里迢迢來，爲了什麼？』我道：『要發財啊！』阿勃度拉．罕道：『那麼，我們也正要讓你發財，你若肯依從我們，我們在大刀的面前發誓，必定把寶物的四分之一給你。』我道：『發財當然是希望的。但是在這混亂的時候，你們不肯把發財的法子告訴我，我實在不懂有什麼方法可以發財？並且寶物又是什麼東西呢？』阿勃度拉．罕道：『你既要發財，快點發誓！須說以你母親的身體、你父親的名譽、你宗教的信仰，在神面前發誓，以後永遠嚴守祕密，決不說不利我們的話，不做不利我們的事。』我道：

『只要無害於此城，我情願發誓，永守不忘。』阿勃度拉．罕道：『你既肯發誓，那麼，我們也可以發誓了。我們把所有的寶物平均分作四分，你拿四分之一去。』我道：『我們只有三人，怎麼要分成四分？』阿勃度拉．罕道：『還有達司德．阿克白，他也參與，論理不能不分一份給他。他不久就要來了，謨罕默德．心格，你可以到城外去等他。我要把這事的祕密告訴史毛爾先生，史毛爾既已發了誓，我料定他決不反悔的，我們印度人注重發誓，只要在神前發過誓，就終身遵守了，雖是大刀在頸上也不怕的。史毛爾先生，你住在印度這麼久了，這事大概也相信的，你既相信我，我當然也相信你，萬一你違背了，我們自然有處治你的方法。現在既到了這個時候，我不能不把始末情形告訴你。我們印度的北部有一個酋長，他的領土雖小，財產卻很豐富，一半是祖先傳下來的，一半是他自己向小民搜括來的。亂事起後，這酋長眼見白人慘遭巨禍，想要附和亂兵，和白人抗抵。然而又恐白人如果勝利，自身必有不利，因此遲疑了很久，無法決定。後來想到一個妥當的計策，把所有財產分爲二，金銀錢幣，都放在酋長的宮裡，預備臨時的用度；鑽石珠寶則放在鐵箱裡，差一個親信的人，扮作商人的模樣，帶到阿克拉避難。然後自己投身亂黨，殘殺白人，亂黨如果勝利，金銀錢幣可以無礙，白人如果勝利，鑽石珠寶也可以保全，這個計謀眞是好極了。然而你想想看，這人良心如此的壞，若讓他保有財產，還有天理嗎？我打聽到喬裝商人的人叫阿克梅特，現在住在新城裡，因爲新城不及舊城安全，所以想要搬到這裡來。他還有一個夥伴叫達司德・阿克白，是我的同胞兄弟，他知道阿克梅特帶了這大批寶物來，就來和我商量，他想在今夜引他到這裡來，把那人殺死，奪取他的寶物，我們把鐵箱中的寶物平均分配，不怕不成富翁。這裡冷清得很。殺掉一個人，那裡會有人知道？你認爲這事如何？』當我在完塞斯特郡的時候，人命看得很重，幾乎視爲神聖，無論事情如何，心裡絕沒有殺人的念頭。然而住在這裡，慘殺焚掠的事，幾乎沒有一天不看見，因此把阿克梅特的性命也看得和空氣一樣輕。我自以爲殺掉他，未必算是罪惡，況且均分了他的寶物，又足以使我變成富翁。那麼，我來時是一個窮光蛋，去時頓成富翁，故鄉的族人，向來不把我放在眼裡的，那時也必定要十分敬重我了，我眞是何樂不爲呢？我想到這裡，正要答應他，阿勃度拉・罕恐怕我變掛，再說道：『你不要遲疑。如果我們把阿克梅特的秘密報告了軍中首領，阿克梅特一樣要死，寶物卻悉數充公。在阿克梅特來說總是一個死，與其殺死他讓別人發財，不如殺了他自己發財。你快點決定，答應我就是我的朋友，不答應我就是我的仇敵。』我道：『我想定了，決定遵命。』阿勃度拉．罕很快活，就把槍還我，說道：『如此最好，我們可以等我的同胞兄弟和阿克梅特來了。』我道：『你的同胞兄弟也知道我們有這個非常的舉動嗎？』阿勃度拉．罕道：『他是主謀，那裡有不知道的道理。你可以同我到城門外，和謨罕默德．心格一起等候了。』我們就帶了槍，站在城外。這時候雨還沒停，天上有棕色的雲，霧氣又重，隔著投擲一石的距離，就一點兒也看不清了，城外有一條很深的戰壕，壕裡的積水已經乾了，可以走得過去，我

兩眼注視戰壕以外，心裡很焦急，希望阿克梅特早些兒來。隔了好久，果然瞧見壕外有一點燈光，從遠處移近來，忽然那燈光被土墩子遮住了，不一會又重新出現。我對阿勃度拉．罕道：『他們來了。』阿勃度拉．罕輕輕說道：『是的，等他走近來，你可以照著守衛城門慣例向他盤問，吩咐我們帶他進城。進城以後，我們兩人自有計畫可以殺死他。但是你須用燈照他的面孔，使我能夠看清究竟是不是那一個人？』話剛說完，前面燈光近了，隱隱約約有兩個黑影慢慢地走過壕來，將要到城門口了。我就大聲問道：『是誰？』那人答道：『是老朋友啊。』他的意思，表示願意做我們的朋友，不是亂黨做我們的仇敵。我就用手裡的燈仔細照著兩人，一人非常高大，黑鬚過腹，見了可怕，一人矮小肥胖，身體圓滾滾的，頭上裹著

黃布，手裡拿著一個包包，似乎很沈重。這胖人的神色很驚恐，兩眼閃爍，好似出穴的老鼠。我見了這情形，也曾想到殺人的事，不是我所應該做的，但是因爲巨大的利誘，反激動了我的殺心。就問他道：『你到這裡來，爲了什麼？』他道：『來求保護呢！我經商，名叫阿克梅特，從拉帕呑南到這裡來，因爲不肯附和亂黨，所以一路都遭到劫掠。現在僥倖到了這裡，想來我的生命和我所有的東西可以保全了。』我問道：『你帶些什麼東西？』阿克梅特道：『是一個小鐵箱，都是祖上傳下來的遺物。別人拿去，未必値錢，我卻很不願意落在別人的手裡，所以一路竭力保護。但是我並不是個窮漢，家裡也略有產業，若你准許我住在這裡，將來回復太平後，必定有所回報的。』我聽他的話非常哀怨，不想和他多講，就揮手對兩個印度兵道：『快把這兩人押到防務總部去，查究他們的來歷。』兩個印度兵就帶了阿克梅特進城去，和他一同來的印度人，跟在他的後面。我依舊拿了燈籠，站在城門外面，我聽著腳步聲，從近處慢慢地走遠，一會兒腳步聲忽然停住，立刻發出呼號聲和格鬥的聲音。我正想回過頭去，看看他們的情形，恰巧有一個人，滿面都是血，從裡面拚命地奔出來，我舉起了燈，仔細一看，原來是阿克梅特，他背後緊緊跟著一個人，樣子彷彿一隻餓虎，希望得到一些點心裝在肚子裡。那人身材高大，鬍鬚極長，差不多過了腹部，就是那個和他同來的人。他手裡拿了一把尖刀追著阿克梅特，慘淡的燈光映射到刀口上，立刻發出可怕的寒光來。我見了這一幕慘怖的事，便生了惻隱之心，幾乎想去救他。但是當時方寸已亂，轉念間又認爲機會一失，不能再來，我不應當讓這已到手的金錢，隨著城下的風雨同去。因此趁他快奔的當兒，舉起槍來，瞄準他的兩手之間，開了一槍，阿克梅特便應聲而倒，那個同來的人又奔過去刺了兩刀，阿克梅特就不動了。唉！諸位，這就是我當時行兇的情形。到了現在，我方肯全盤托出。你們眞能因我誠實的招供而減輕我一些罪名嗎？」

那個同來的人奔過去刺了兩刀

史毛爾說完，把福爾摩斯所調的加水威士忌喝了。我細察他的外表，知道知道這人當眞兇惡得很，不但他行兇的時候，不眨一眼。就是今天的一番口述，語氣中還帶著暴厲，聽了也驚恐非常。將來若是處他死刑，也是可憐不足惜情了。福爾摩斯和瓊司抱膝靜思，臉上露著不快活的神氣。

史毛爾感覺到了，反而表示出自然的態度，說道：「我罪大惡極，確實不能免一死。然而在當時，利慾薰心，印度兵又拿我的性命來要挾我，我也是不得已做的。早知今日，就是窮困也認命了，那裡敢嘗試監獄的滋味呢？」

福爾摩斯道：「不必說這些空泛的話了！行兇以後，你又怎樣？快點說完！」

史毛爾道：「阿克梅特死了，我就吩咐謨罕默德．心格守門，我們三人合力把那個屍首搬到了一間破屋裡。這破屋是兩個印度兵事前預定的，雖在城中心，和城門口距離略遠，並且還要經過一條曲路才能夠走到，破屋裡的牆壁都已損壞，磚石搖動，地板也陷下去了。我們就在一個隱僻的地方掀開一塊地板，把屍首塞在下面，另外抽出幾塊牆上動搖的磚石，蓋滿了屍體，不讓他露出一點痕跡來，然後仍回到原處。我們把鐵箱拿過來看，這鐵箱就是現在你們拿到的，它的形狀我已不必多說，但是當時箱環上面還用一條絲編的繩繫著一個鑰匙。我們打開箱子，舉起燈來照著，見箱裡的寶石眞是多得數不清，光彩照耀，幾乎眼花，我一時懷疑是在夢裡，不相信世間竟有這一回事，等到心神略定，才一樣一樣地拿出來，我仔細檢查那東西，並不斷地看個飽。共計上等鑽石一百四十三粒，中間有一塊，叫做『大模格耳』是世界第二大鑽石，綠玉九十七塊，紅寶石一百七十塊，但有幾塊很小，沒值多少錢；紅玉四十塊，青玉二百一十塊，瑪瑙六十一塊，此外還有白瑪瑙、貓眼石，土耳其玉也很多，還有許多寶石，我當時也叫不出名字，後來研究了很久才知道。寶石以外，還有明珠三百多粒，中間有十二粒最大的用金絲穿起來，現在這珠子不知已送到了誰的手裡去了。我從上那胡街重新得到了鐵箱以後，曾細細檢查過，別的東西都是完好如前，只缺少這一串明珠。我們既已把寶物檢查過了，就再放到箱裡，走出城去，請謨罕默德．心格也看了一遍，然後大家發誓：『以後有福同享，有難同當，若有違背，天人共殲。』發好了誓，又研商安頓這寶物的方法。大家認爲這時候兵亂未定，若隨隨便便把寶物拿出來，必定起人疑心，況且我們四個人都沒有家室，要到那裡找安穩的安頓地方？心想不如暫時把這鐵箱放在破屋裡，等亂平了，再拿出來均分。我們議決好後，就一同到破屋裡，見一處複壁已經壞了，就扳開磚石，把鐵箱放到複壁裡去，再把磚石砌好，回復原狀，另外做了一個暗記在上面。第二天，我畫了四張圖，四人均拿一紙，圖上有一個紅墨水的小十字形，就是寶物貯藏的地方，下面有四個十字連寫，四人在十字旁署名，就是我們發誓的表示。從此以後，我的一舉一動都是四人的代表，儘管困頓也不會背盟，所以凡是做一件，和這四個都有關係的事，必定留下一個四個人的簽名字樣，表明我所做的，並不是一人的私利，而是四人的公共利益。後來，亂事漸漸平復了。英軍四面逼攏過來，起事的酋長潰散而逃，阿克拉一處，漸漸安寧了，我以爲可以開始享福了，不料謀殺阿克梅特的案件就在此時被發覺了，我們同時被捕。原來，阿克梅特受了酋長的命令，帶了鐵箱到阿克拉避難，酋長是一個多疑的人，恐怕阿克梅特得了大宗寶物會起貪念，趕緊又派一個心腹，暗地裡跟在阿克梅特的後面，一步也不離。等到我們行兇的那天，那人從遠處望見阿克梅特已進了舊城，才折回新城，隔天到舊城裡望，卻找不到阿克梅特，心中十分疑惑，就把這件事告訴一個軍官，軍官又向上報告司令官。我軍司令官是一個精明能幹的人，認爲阿克拉是保護商民的地方，不能讓它發生這等疑案。於是立刻吩咐軍隊在城裡搜查，果然在那破屋裡的地板下搜到了阿克梅特的屍首，於是就把我們捕去，關在監獄裡。我們四人中間三人是當日的斥候，一人是和阿克梅特同行的，一切既都指向我們，我們也無從辯說。我被判了死刑，其餘三人，終身監禁，後來我得到減刑，和三人一樣。但是這時候，那酋長已經因附和亂黨，逃到別處去了，他的心腹也只把謀殺阿克梅特的事宣告出來，不敢把別的事宣布出來。恐怕這件事給別人知道了，不但那大宗寶物，要盡行充公，那告發的人，也要因附和亂黨被治罪。所以那人雖知道寶物已經落在我們的手裡，卻始終不敢在對質的時候說出來。只說商人阿克梅特略有財產，所以被我們四人謀殺。我們對這一點，很抱希望，以爲現在雖是在監獄裡，若有一天重見天日，寶物必定仍舊回到我們的手裡。我們在監獄裡，想到以前的事，往往憤恨得發狂，但是一想到將來，又快活起來，我因有這不絕的希望，所以撐到現在。不久之後，我從阿克拉城流逐到摩特拉島，再從摩特拉島流放到安達門羣島中的柏來耶島，我重見天日的機會，果然到了，因爲這島異常荒涼，白人罪犯流放到這裡來的很少，我一個白人住在許多的黑人中間，長官自然要因同種族的緣故，特別優待了，所以黑犯都是關在一處，我卻獨自住在黑利德山腳的希望鎮裡，自己蓋了一間小屋。這屋的四周風景極好，雖然狹窄不堪，但是做罪犯的能夠如此，已經很不容易了，不過島上氣候壞極了，瘴氣可以殺人，土番的毒刺更是可怕。我剛到那裡，照例做苦工，或是開溝，或是種椰子樹，一天到晚工作，必定要到夜間才得休息，後來島上有一個軍醫，要我去幫助他料理藥物，我就脫離了勞動的工役，可以約略知道些醫藥的知識。那時我脫逃的想法始終沒有停過，只因爲荒島孤懸在大海中間，水天無際，不知道那一天的風，才可以把我吹送到海外去。軍醫蘇木登年少氣盛，喜歡賭博，每天晚上，公事完畢以後，就邀島上的軍官管獄員到他家裡打牌，聚賭的地方和藥室接近，並且有一扇小窗相通，我在藥室裡，沒有事做，總是息了火，從小窗裡看他們賭，因爲我也是喜歡賭的，既不能賭，就是作壁上觀，也可以消遣消遣了。賭友大約有六七個，歇爾托少校、蒙斯呑上尉、白郎副尉都是軍官，帶兵監察罪犯。其餘兩三個，都是管獄員，賭術極精，逢賭必贏，軍官們卻常常輸。我在旁觀，很替他們不平，暗想他們若不是作弊，怎會如此。那些軍官都不明白每賭必輸的緣由，還說是手氣不好，不知道這輩滑吏，自從到了安達門島以後，就把賭博當生活，手段既辣，經驗又多，門外漢去抵擋，沒有不輸的。如此又過了幾日，那些軍官因爲輸得很多，手頭未免有些窘了，但是還是費盡心思，要想翻本，所以越輸下注越大，下注越大，越是要輸。其中歇爾托少校輸得最多，雖是間或也有小贏，可是還是輸得多，後來弄到沒錢了，欠了不少的債，終日愁眉不展。一夜，歇爾托少校又是大輸，和蒙斯呑上尉一同經過我的小屋門前，他們倆是知己朋友，進出總是結伴的。那時我聽見歇爾托恨恨地說道：『蒙斯呑，糟了！我已債臺高築，沒法處理，你想怎樣辦？』蒙斯呑以手拍他的肩頭，說道：『老友，不要怕。這個境況，我也嘗過，但是……』說到這裡，兩人離開我的小屋已遠，下文已聽不清楚了。但是就這兩句話，已經很耐人尋味了。過了兩天，歇爾托無聊之至，到海邊去散步，低著頭胡思亂想，我趁這當兒，對他說道：『少校！我有一句話告訴你。』少校道：『史毛爾，你有什麼事？快說。』他說時從嘴裡拿下煙斗來，握在手裡，等我回答。我道：『我有大宗寶物，但不知道應該交給誰，想請少校解決。這大宗寶物價值五十萬鎊，我不能自己用，情願送給應當得這寶物的人，但希望得這寶物的人，或許能夠縮短我流放的期限。』歇爾托聽得呆了。注視著我的臉，詫異道：『史毛爾！你說什麼？五十萬鎊嗎？』我道：『是五十萬鎊的珠寶，現在靜臥在一處，專等應當得寶的人去拿，他的原主已因犯罪逃到別處去了，不能再得這寶物，若有人捷足，就可以先得。』歇爾托道：『這件事確實嗎？必定要向上報告！必定要向上報告！』他說時語氣突兀，似乎有些說不出的意思，我知道他中了我的計了，我就說道：『少校，不要著急。少校的意思，以為向上報告妥當嗎？』少校道：『是的，這件事那裡有不報告之理。但是你必先把始末情由告訴我，我方才可以決定辦法。』我就把行兇前後的事實都告訴他，只是不把寶物放置的地點說出來。歇爾托聽完了，呆呆地站著，默默不發一聲，我看他兩眼轉動，知是他的心已經著了魔了。隔了好久，歇爾托道：『史毛爾！這件事關係重大，你不要洩漏給別人知道。我不久有回音給你。』又過了兩天，已經夜深了，全島籠罩在沈寂的空氣中。歇爾托同他的好朋友蒙斯呑，手裡提著一盞燈，到我小屋裡來密談。歇爾托道：『史毛爾！你再把前天告訴我的話說給隊長蒙斯呑上尉聽聽。』我依他的話，再述了一遍。歇爾托道：『這件事如果確實，值得一試。』蒙斯呑點點頭，應了兩聲『是！是！』歇爾托又道：『我和我好友蒙斯呑商量過，都以為與其向上報告，不如保密。但是不知道你要什麼酬勞？如果你要求的是我所辦得到的，我一定願意和你合作。你須先把藏寶的地點說出來，讓我探聽虛實，然後決定該怎麼做。』說的時候，態度很冷靜，但是他心裡的熱火卻可以從冷靜裡瞧見。我也以冷語回答他，但心中的激動和歇爾托一樣。我說道：『我所要求的並不多。只要兩位能夠釋放我，並且同時釋放我的三個同伴。我就可以把寶物均分爲五分，把五分之一送給兩位。』歇爾托有些不高興，說道：『你說五分之一嗎？爲數很小。那就不値得了。』我道：『雖是五分之一，然而兩位已經可以各得五萬鎊哩。』歇爾托道：『但是你的罪已經定了，要釋放你，很困難。』我道：『不必兩位正式釋放，只消監視得寬一點，並且略略幫些忙，我們就容易自己離去。現在我們最感困難的，就是不能飛渡重洋，但是印度各處的船隻很多。兩位若能夠代我們雇一隻船到這裡，船裡只消準備幾天的所需，不必太多，我們就可以連夜上船，開到印度，兩位另外乘別的船到印度，和我們相會，然後均分這寶物，那麼，一切就妥當了。』歇爾托道：『想逃走的只有你一個人嗎？』我道：『不！我們四人生死與共，若不是全逃，我決不單獨逃走的。』歇爾托對蒙斯呑道：『這人不忘記他的朋友，還可以信託。蒙斯呑，你認爲和他合作這一件事，不要緊嗎？』蒙斯呑道：『不要緊。這件事雖很卑鄙，但是只要得了錢，就很快樂了。』於是，歇爾托便對我說道：『旣已如此，你就應該把藏寶的地點說出來。我可以請假到印度去，探聽你說的對不對？』我見他心裡的熱度漸高，故意說得格外冷淡些，我答道：『你且不要性急，這件事還要徵求我同伴三人的同意，不是我一人可以獨斷獨行的。』歇爾托發怒道：『那些黑奴，和他們多說什麼？』我道：

『不管黑奴、藍奴，當初既是和我同事，我當然不能夠半途拋棄。』歐爾托見我不能通融，就約定隔天續議。第二天，我邀集了謨罕默德·心格，和阿勃度拉·罕、達司德·阿克白三人。我告訴他們這一件事，三人都答應了。就決議先由歐爾托告假到印度去探聽有沒有這大宗寶物，假使有，就雇一隻船到島上來，停在隱僻的地方，讓我們四人能夠連夜逃去，而歐爾托銷假再回到島上做事，另外派蒙斯呑告假到印度，和我們均分寶物，歐爾托應得的份，就由蒙斯呑代拿。這件議案決定了，六個人發誓，有福同享，有難同當。我就在燈下加畫兩張圖，交給歐爾托、蒙斯呑兩人，各執一紙，圖上仍舊有四個人的簽名，表示不忘決議。」

史毛爾說到這裡，忽然長歎道：『唉！我絮絮聒聒地說了一大堆話，你們一定覺得討厭。瓊司先生性急，臉上已有不高興的神色了。現在我須說得簡單一點，歐爾托得到圖，一到了印度，就沒回來。蒙斯呑拿了一張紙來，告訴我道：『歐爾托少校辭職回英國去了，這是某郵船的乘客名單，少校的名字，也在上面。』我驚問歐爾托何以驟然想回國。蒙斯呑道：『他的父親病故了，遺產很多，都給少校。少校以後可以做富翁，不必再到這裡來受磨難了。』我道：『不！我們一定被歐爾托這老賊所欺，他獨自拿了寶物回去了。』蒙斯呑不信，告假到阿克拉去察看，果然寶物鐵箱已沒了。我大怒，日夜思考如何報這個仇，逃走、尋歐爾托、殺死他，這三件事沒有一刻不在我的心裡打轉，那寶物能否再得反而不及報仇來的重要，但是相隔萬里，還有法律限制著我的自由，就是我發瘋，也沒法想。一天，蘇木登醫生得了病，不能做事，軍隊從森林裡救了一個土番回來，那人得了熱病，奄奄一息，快要沒命了，我因爲略懂醫理，就拿藥給他吃，並且看護他。這土番雖然像毒蛇一般兇悍，可是在將死的時候，有人救了他的生命，也一樣知道感激的。住了兩天，他的病漸漸好了，竟和我成了知己朋友，並且常住在我的小屋裡，不願再到森林裡的老家去了，我和他住久了，略略懂得他的語言，知道他的名字叫呑加，平常是搖船的，並且自己有一隻很大的樹皮船，可以飄洋過海。我聽了這消息，知道時機已到，便立刻和他商量，叮囑他在某天深夜，把樹皮船停在一個舊碼頭的旁邊，這碼頭地點很偏僻，平時人跡不到的，從那裡出發，可以確定必沒有意外，再吩咐呑加在船上多帶些像番薯這一類的東西，以便渡海時果腹，那時呑加已經發誓，永遠做我的朋友，聽了我的話，一點也不躭擱，立刻去預備。到了那天深夜，我從小屋裡偷偷地到了碼頭，忽然瞧見巡丁潘生也站在碼頭上，這人天性很殘酷，我到了島上，屢次受他的虐待，心中雖想報復，在勢有所不能。那時我見他背向著我，報仇的意念忽地起來，這好似上帝要我在離島以前討淸一切的債，但是手無寸鐵，尋遍了海邊，連一塊石子也很難找，若空手去對付有槍的人，必定糟糕。我又轉一個念，快活地道：『我身上有一件武器，爲什麼不用？』我就自己脫下木腳來，跳了三跳，便跳到了潘生的後面，用盡氣力，用木腳向潘生的腦後打去，潘生正想轉身開槍，卻已經昏倒，我因兩腳重力不均，也跌倒在地，呑加從船裡出來，背了我上船，趁潘生還沒有醒，就解了繩，向茫茫大海裡行去。過了一小時，我

我跳了三跳，便跳到潘生的後面。

們已經在島外了。島上官兵雖嚴密，也沒有法想了，但我的木腳上至今還隱約有些血痕，就是潘生的血，可以算是我到安達門島的紀念。吞加自知這回遠行，不是那麼容易就可以回來的，因此把他所有的東西都放在船上，從衣服、食物、兵器，到他天天禮拜的神像，什麼都有。其中有一桿長矛，幾張草席，我就用長矛做桅桿，又用草席做帆，掛了帆，任風駛去。行了十一天，碰到一隻商船，船上載運馬來亞人，從新加坡要到吉達去朝聖，我們就狂呼救命，登到他們的船上。船上乘客很多，並且很吵雜，我和吞加的來歷幸而沒有人過問，我們才總算安全離了危險。自此以後，我所經過的危險還有不少，我若仔細說來，恐怕到明天天亮還不能說完，只有一句話可以概括，我一心只想早一日到達倫敦，可是倫敦總不能馬上就到，我夢裡也殺過歐爾托好幾回，可是卻不能和歐爾托見面。這樣過了三四年，我和吞加眞的到倫敦了。到了那裡，歐爾托的住址自然容易找尋，然而寶物是不是仍舊存在，卻很難探聽，我就買通他的幾個僕役做我的內應，這幾個人的名字我現在不願宣布，因爲主謀是我，事情成功，我享受利益，事情失敗，我受罪罰，不必拖累別人。後來做我內應的人探得寶物還存在，並沒有變賣，我就躲在他家附近，希望得到一個機會，前去奪取寶物，並且報我的仇。可是歇爾托防衛得很周密，兩子和僕役以外，還有兩個拳擊手，我自己估量了幾回，終究不敢冒冒失失地下手。一天，我知道歇爾托將要死了，就再也忍不住了，一逕闖進他的園裡，在窗下偷看他的動靜，我見歇爾托奄奄一息在那兒和兩個兒子說話，我憤怒極了，想等他的兩個兒子出去後，就進去殺死他。但他不久就嚥下了最後一口氣，和這世界告別了，我見他已經死了，也就不想再動他的屍首，即退了出來。到了夜間又進去，想在遺留的紙片中探尋寶物的地點，可是歇爾托從前狡猾，到死也仍狡猾，竟一點也沒有痕跡。我惱怒極了，就寫了一張

四個人的簽名，放在他房裡，表示我所以深夜前去，另有目的，和平常的偷竊不同。後來，我因停留在倫敦已經很久了，生計窘困，幸虧呑加能夠吃生肉，能夠跳戰舞，我就帶他到市上，租了一間小屋，命他扮演野蠻社會的情狀，倫敦市民，因爲沒有見過，都來見識，看的人多，我們就靠此微利過活。我雖然很苦，卻仍持續買通僕人做內應，把本廸邱利山莊的消息告訴我。這幾年，只知道白沙洛遍尋寶物不得，別的消息卻沒有，直到後來，方知寶物已經在白沙洛的閣樓裡發現了，我恐怕發現了以後，不立刻去拿，一定會被移到別處，因此，趁他不備，自己先到他的園裡看房屋建築的外觀，以便下手。察看了很久，知道閣樓很高，決不是我這個殘疾的人能夠上去，但是閣樓上有一扇小窗，如果趁晚上白沙洛進餐不在房裡的時

候，我和吞加同來，或許可以成功。計畫既定，又探明了白沙洛晚餐的時間，到了夜裡，我就帶了一根繩子，叫吞加盤在腰裡，先攀登到屋頂，從小窗裡進去。約定到了白沙洛房裡以後，就從前窗口丟下繩來，拉我上樓。不料吞加從閣樓到了房裡，見白沙洛也在裡面，正在那裡把寶物搬出來，估量它的價值。吞加心想若不把他殺死，決不能做事，就從衣袋裡摸出毒刺，放過去刺死他，等到我到了樓上，見白沙洛已死，十分生氣，就用繩子打吞加，打得他半死。然而白沙洛已經無救了，只好把寶物先吊下來，然後吞加又將我縋到下面，他才照著原路回去，那時我仍舊留下一個四人簽名在房內，教人家知道這寶物的得而復失其中一定有原因。我說到這裡，全案的始末都交待清楚了，像福爾摩斯這樣精明，量他也沒有什麼要再問了。但是有一事我不能不替史密司洗刷，因爲『亞勞拉』船供我使用，並不是史密司與我同謀。史密司見我們的舉動奇怪，心中一定起些疑問，但是他喜歡喝酒，喜歡用錢，只要把酒給他喝，把錢給他用，他便一切都不管了。唉！我在這時候，若不原原本本地說出實情，你們也無可奈何，但我一定要把實情告訴你們，並不是討好你們，也不是有什麼要求，實在是要

吞加將我縋到下面

讓人們知道歇爾托待我不合理，白沙洛的慘死實和我沒有關係的。」

歇洛克．福爾摩斯道：「好！你所說的故事，前半節我不知道，後半節卻都和我猜度的符合，但是房內的長繩，我沒有想到是你們所帶的。不過呑加的毒刺，既都已遺留在房內，怎麼在我們窮追的時候，他還能夠放一根給我呢？」

他道：「毒刺已經丟了，所剩的只有吹筒中間的這一根罷了。」福爾摩斯道：「這是在我意料以外的。」史毛爾道：「你還有什麼要問的？」我的同伴道：「要問的已經問完了，你能夠詳細告訴我，我很感激。」

瓊司起立道：「福爾摩斯先生，你辦案眞神奇！這事全靠著你的幫助。我現在應當辦我的公事了，這罪犯留在這裡已經很久了，現在有馬車和兩個警察在門外等候，我須帶他走了。我很感謝兩位的幫助，審判的時候，還要請大駕光臨呢。再會！晚安！」史毛爾也起來說道：「晚安！再會！」瓊司和史毛爾一同出去。到了門口，瓊司道：「史毛爾！走前頭！我不要像安達門島的巡丁一樣嘗你的木腳。」

兩人走後，我和福爾摩斯默然相對了一刻。我開口道：「這一齣慘劇，現在要閉幕了，但是有一件事，也須歸入劇情，我還沒有告訴你，就是蒙斯呑小姐已經和我訂婚了。」他道：「這件事我不敢道賀。」

我聽了很不高興，問道：「你爲什麼對她不滿？」

「我並非對她有什麼不滿。她的容貌美麗，處事也很細心，在告訴我案情的時候，就把案中一切有關的東西給我看，我才能夠根據各種東西，偵探成功，她如此聰明，做你的佳偶，怎麼說不好。然而我以爲愛情這東西，會減損性靈，假使我娶了妻，我偵探的能力必定會受到影響，所以我寧可獨身。」

我道：「淸心寡欲，只有你吧！我那能跟你比呢？看來你也疲倦了。」

「是啊！我的體力恐怕沒有一個星期無法恢復，然而一想到這事的結果便很快樂，若放任讓瓊司去魯莽從事，這案子將永遠沒有水落石出的一天。現在瓊司懷疑拉爾·勞，已把他捕去，假使拉爾·勞果眞就是史毛爾的內應，那麼這件事，就是瓊司成就個人榮譽的惟一希望了。」

我道：「這事結果雖好，報酬卻不均，瓊司得名，我得一妻，你盡力最多，卻無所得。眞是苦惱極了。」

「你說我無所得嗎？試瞧火爐上還有『古柯鹼』呢！」

他說這話時，瘦白的手已伸到古柯鹼瓶上去了。

附錄一

眞實與虛幻之間——柯南・道爾與福爾摩斯

「倫敦的貝克街上，一個肩掛照相機的遊客在抬頭找尋門牌。商業大廈管理員白拉斯見了便說：『又來了一個。』果然那遊客在門外止步，略一猶豫，然後推門而入，走到擺在大堂的辦公桌前，面帶困惑的神情向白拉斯問路：『我想找二百二十一號B座福爾摩斯的住宅。』」

這已是當天的第十二次，白拉斯重複解釋二一九號到二三三號歷來是阿比國民房屋協會的會址，並非福爾摩斯和華生住宅……每星期都有大堆信件寄給二百二十一號B座福爾摩斯收。郵局總是負責地把這些信件交給阿比國民房屋協會，由協會客氣地簡覆：『收信人已遷，現址不詳。』」（註一）

福爾摩斯這個角色誕生至今已有一百一十年。對於全世界無數的福爾摩斯迷來說，他們絲毫不會懷疑他存在的眞實性。自從柯南・道爾一八八七年賦予他生命之後，這個身材瘦削、有著鷹鉤鼻、頭戴獵帽、肩披風衣、口啣煙斗的人就永遠活在人們的心中。

這個角色創造之初，其實並沒受到太多的關注。一八八六年，柯南・道爾完成了《血字的研究》(A Study in Scarlet)之後，曾寄給「康希爾」雜誌，可是該雜誌並沒有意願刊登。之後，又轉寄了幾家出版社，仍不被採用。最後才由渥德・洛克公司買下，在一八八六年「比頓雜誌耶誕特刊」上發表，並於第二年出版單行本。全世界的福爾摩斯迷大概很難想像，他們心目中的大英雄的問世竟是如此一波三折。

柯南・道爾到底有什麼本事能夠創造出一個這樣活靈活現、家喻户曉的大偵探呢？要瞭解這一點，必須從他的生長背景講起。

柯南・道爾(Arthur Conan Doyle, 1859~1930)出生於蘇格蘭的愛丁堡。從小就對文學有濃厚的興趣。一八七〇年進入隸屬耶穌會的史東尼赫斯特(Stonyhurst)學院就讀(該校是全英國最著名的耶穌會學校)。一八七六年(十七歲)進入愛丁堡大學醫學院就讀。這些求學的過程，對他日後的創作影響深遠。尤其是醫學院強調歸納分析的方法，以及辨識疾病細微差異的臨床訓練，成就他塑造一個以科學方法辦案的偵探。在這段求學期間，他也遇到了一個對他影響至深的人——約瑟夫・貝爾教授(Dr. Joseph Bell)。這位教授在愛丁堡醫學院相當有名，很受學生的喜愛。他有一種特殊的能力，能立刻對一個素未謀面的病人斷出病症，並説出問診病人的職業、個性、生活習慣，以及曾在那裡服役，隸屬什麼兵團等。柯南・道爾對他這種「神奇」的能力相當著迷。而這位貝爾教授也就成了福爾摩斯的原型。柯南・道爾曾回憶到：

加博里歐(Gaboriau)（註二）的作品在處理情節的轉折處不留痕跡，相當吸引我。愛倫．坡筆下那位能幹的杜賓偵探從小就是我的偶像。但是，我是否可能來點特別的呢？我想到了我的老師貝爾。想到他瘦削如鷹的臉龐，他那奇妙的方法，以及對於事情細節一語道破的驚人能力。如果他是一名偵探，一定能將這個迷人，卻欠缺章法的事業導入精確的科學之路。我想試試看是否能夠達到這種效果。在現實生活中都有可能的事，我爲何不將它帶入小說中呢？（註三）

在《血字的研究》中，貝爾教授的影像清晰地浮現。當福爾摩斯初次見到華生時就說：「我瞧你到過阿富汗。」這點著實讓華生感到驚訝。華生也形容福爾摩斯：「……身高在六呎以上，因爲過分瘦削，顯得頎長無比……他那細長如鷹喙般的鼻子，顯示他機警果斷……。」

一八八一年，柯南．道爾取得了醫師的資格，在一艘貨輪上擔任隨船醫生。次年，開始自己執業。雖然從事醫務工作，但是他仍對文學創作充滿熱情。此時他開始嘗試偵探小說的創作。除了以貝爾爲原型創作出福爾摩斯之外，爲了推動劇情的發展，他也安排了一個福爾摩斯的最佳拍檔——華生醫生。這個角色的塑造具有相當的意義。他不僅發揮了綠葉陪襯紅花的效用，也似乎產生了一些非預期的結果。這位醫生是福爾摩斯的好友，也可以說是他的助手，他與福爾摩斯經歷相同的事情，卻不像福爾摩斯具有敏銳的觀察與推斷能力（甚至有些遲鈍），因此福爾摩斯得以透過與華生的對話，將他的觀察與推理過程告知讀者，然後由華生以第一人稱的方式講述出來（除了「獅鬣」(The Lion's Mane)、「爲祖國」(His Last Bow)……等篇外）。這種第一人稱的敍述方法，讓讀者很容易地就進入了作者所鋪陳出的情境中。此外，華生這個醫生的身份與柯南・道爾具有高度的重疊性，讀者在閱讀的過程中很容易就把華生等同於柯南・道爾。如此一來就增加了故事的可讀性與可信度。因爲在讀者看來，柯南・道爾是在向大家講述一個「他」與「他的朋友」所共同經歷的眞實故事。再加上他們就住在倫敦貝克街二百二十一號B座（眞有此住址），也過著典型的維多利亞女王時代的生活：坐著大家熟悉的兩輪或四輪馬車出沒於倫敦街頭，有一個女房東兼管家婦負責幫他們傳遞來訪者的名片並引見客人，每天都閱讀「每日電訊報」，有時會去劇院欣賞音樂或看賽馬，遇到急事則去電報局發電報……。凡此種種，難怪讀者會這麼相信福爾摩斯與華生是眞有其人，彷彿走在倫敦的街道上，隨時都可能與他們擦身而過。

由於角色塑造的成功，故事情節懸疑緊湊，使得福爾摩斯探案受到了大家的肯定。一八八九年柯南・道爾繼續發表了第二個長篇《四簽名》(The Sign of Four)，獲得了熱烈的迴響。不過他的醫生生涯卻不像他的文學生涯一般順利。他在倫敦的眼科診所門可羅雀，許多作品是他在診療室中完成的。這種窘境促使他在一八九一年決定棄醫從文，專心從事文學創作。

貝爾雖是福爾摩斯的原形，但他決非福爾摩斯的全部。因爲柯南·道爾本身的部分特質也融入其中。由於醫學院的訓練，使得他具備敏銳的分析推理能力，因此對於劇情的鋪陳與推理毫無困難。再加上從小母親就教育他要守法，尊重正義，培養他具備騎士的精神，所以他自然也會把這些精神注入他所創作的角色當中，福爾摩斯和華生都分享了這些特質。他們兩人在劇中協助警方打擊不法，幫助弱小與婦女，或者基於榮譽感與愛國心爲政府效命（例如在「爲祖國」一劇中幫助英國政府破獲德國間諜一案）等，這些正是騎士精神（或者可說是英國紳士精神）的具體展現。

福爾摩斯探案的成功，使得柯南·道爾名利雙收，約稿源源不斷。然而他開始厭倦不停地寫福爾摩斯，他抱怨福爾摩斯佔據他太多的時間，甚至把他的心靈從美好的事物中攫走。因爲柯南·道爾其實更喜歡寫歷史小說（註四）。一八九三年，他寫了「最後問題」(The Final Problem)，讓福爾摩斯與他的死對頭莫理亞提教授（Professor Moriarty)雙雙墜落瑞士的萊亨巴哈瀑布(Reichenbach Falls)中。柯南·道爾覺得鬆了一口氣，終於可以擺脫這個麻煩的公衆英雄，全心投入自己更喜歡的文學創作。不過福爾摩斯的死訊一宣布之後卻引發了讀者的錯愕與抗議(就連作者的母親也提出了抗議)。超過兩萬人取消訂閱連載福爾摩斯的「河濱」雜誌(Strand)，許多人傷心地爲福爾摩斯服喪以示哀悼，甚至有位女士還非常沒禮貌地寫信去指責他，劈頭就罵：「你這個殘忍的畜生！」這種種激烈的反應恐怕連作者都始料未及。儘管如此，柯南．道爾仍不爲所動。直到一九〇三年柯南．道爾才又讓他在「空屋」(The Empty House)一案中戲劇性地復活，重新展開他驚險、刺激的偵探生涯。

柯南．道爾傾畢生之力創作福爾摩斯的系列故事，總共寫了四個長篇，五十六個短篇。在故事的終了，他並沒有明確地交待福爾摩斯的最後去處，只是從故事中我們可以知道，福爾摩斯後來歸隱蘇薩克斯做「養蜂學」的研究。這樣的安排，對於廣大的福爾摩斯迷來說當然是很難接受的。許多人自圓其說地認爲，福爾摩斯明的是去做研究，暗地裡則是轉而爲英國情報局效命了。所以在「爲祖國」一案中可以發現福爾摩斯又重現江湖了！這種說法究竟是讀者一廂情願的解釋，或者果眞如此，其實已沒有深究的必要了。因爲誰會願意殘忍地去戳破心目中的夢想呢？不論如何，可以肯定的是，自從「空屋」一案奇蹟似地復活之後，福爾摩斯與華生就永遠地生活在濃霧彌漫的倫敦城中了。因爲就如一位研究福爾摩斯的學者史塔列特所言：「在烏有之鄉，在幻想的心裡，福爾摩斯和華生兩人，爲了愛他們的人永生不死。」

註釋

一　摘錄自一九七三年四月號的《讀者文摘》，頁一〇三——一〇四。

二　加博里歐(Gaboriau, Emile, 1823?～1873)，法國的小說家，有法國的愛倫・坡之稱。

三　本段文字摘譯自 Hodgson, John A., (eds.) *Sherlock Holmes: The Major Stories with Contemporary Critical Essays.* Boston: Bedford Books, 1994 (p.4)

四　柯南・道爾的一部歷史小說《白衣團》(The White Company)，曾有人讚美它是自《艾凡侯》(亦有譯爲《薩克遜英雄傳》)(Ivanhoe)以來最好的歷史小說。

附錄一

柯南·道爾(Arthur Conan Doyle)年譜

一八五九年　五月二十二日生於蘇格蘭的愛丁堡。

一八七〇年　進入隸屬於耶穌會的史東尼赫斯特(Stonyhurst)學院就讀。該校是全英國最著名的耶穌會學校。

一八七五年　完成史東尼赫斯特學院的學業，至奧地利的耶穌會學校留學一年。

一八七六年　進入愛丁堡大學的醫學院就讀，在那裡他遇到了對他影響深遠的約瑟夫·貝爾(Dr. Joseph Bell)老師——他就是福爾摩斯的原型。

一八八一年　大學畢業後，在一艘非洲西岸航線的客貨輪上擔任隨船醫生。

一八八二年　開始執業。

一八八五年　與露薏絲·霍金斯(Louise Hawkins)小姐結婚。

一八八六年　完成福爾摩斯探案的第一個長篇《血字的研究》。寄給「康希爾」雜誌，可是該雜誌沒有意願刊登。最後由渥德·洛克公司買下，在「比頓雜誌耶誕特刊」上發表。

一八八七年　《血字的研究》單行本發行。
一八八九年　發表福爾摩斯探案的第二個長篇《四簽名》。
一八九〇年　發表歷史小說《白衣團》(The White Company)。曾有人讚美這部作品是自《艾凡侯》(Ivanhoe)以來最好的歷史小說。
一八九一年　去維也納研讀眼科學。隨後在倫敦開設眼科診所，但生意清淡。決定棄醫從文，專心從事文學創作。
一八九二年　將發表的十二個福爾摩斯探案短篇故事，集結成第一個短篇《冒險史》。
一八九三年　妻子露薏絲罹患肺結核。
在「最後問題」一篇中宣布了福爾摩斯的死訊。暫時結束有關福爾摩斯的創作。
一八九四年　將之前陸續發表的十一個短篇故事，集結成第二個短篇《回憶錄》。
一八九七年　認識琴・賴基(Jean Leckie)小姐，並墜入情網。
一九〇〇年　赴南非，以軍醫的身分參加布爾戰爭(Boer War)。並發表作品《大布爾戰爭》。
一九〇二年　受封騎士爵位。
發表福爾摩斯探案的第三個長篇故事《古邸之怪》。

一九〇三年　由於廣大讀者的要求，福爾摩斯在「空屋」一案中復活了！

一九〇五年　出版福爾摩斯探案的第三個短篇故事集《歸來記》。

一九〇六年　妻子露薏絲去世。

一九〇七年　與琴・賴基小姐結婚。

一九一五年　出版福爾摩斯探案的最後一個長篇《恐怖谷》。

一九一六年　宣布轉向性靈學的研究。

一九一七年　出版福爾摩斯探案的另一個短篇故事集《爲祖國》。

一九一八年　出版《新啓示錄》(The New Revelation)一書。此書是柯南・道爾轉向研究形而上學之後，有關這方面的第一本著作。

一九二七年　出版福爾摩斯探案的最後一個短篇故事集《福爾摩斯個案紀錄》。

(編者案：本局將最後的兩個短篇故事集合併成本系列故事的最後一個短篇《新探案》。)

一九三〇年　七月七日與世長辭。

參考書目

中文部分

呂美玉 〈永生不死的福爾摩斯〉，中國時報四十三版，一九九七年二月十六日。

黃永林 《中西通俗小說比較研究》，臺北：文津，一九九五年。

彼德・布朗恩(Peter Browne) 〈福爾摩斯永在人間〉，《讀者文摘》四月號，一九七三年。

林　瀅 〈「偵探小說迷」倫敦朝聖（上）〉，《推理雜誌》一五一期，一九九七年。

范伯群 《偵探泰斗——程小青》，臺北：業強，一九九三年。

《民國通俗小說鴛鴦蝴蝶派》，臺北：國文天地，一九八九年。

徐淑卿 〈推理小說重現江湖〉，中國時報四一版，一九九七年九月十八日。

程盤銘 〈福爾摩斯是如何創造出來的？〉，《推理雜誌》一四六期，一九九六年。

〈福爾摩斯探案中的社會背景〉，《推理雜誌》一四七期，一九九七年。

〈福爾摩斯之前應用推理法的前輩們〉，《推理雜誌》一四八期，一九九七年。

〈福爾摩斯探案與偵探小說的定型〉，《推理雜誌》一四九期，一九九七年。

〈福爾摩斯的行業：私家偵探〉，《推理雜誌》一五〇期，一九九七年。
〈福爾摩斯探案在偵探小說中的地位〉，《推理雜誌》一五一期，一九九七年。
〈福爾摩斯年譜〉，《推理雜誌》一五二期，一九九七年。
〈福爾摩斯偵探術〉，《推理雜誌》一五三期，一九九七年。
〈福爾摩斯的俠義精神和越權行爲〉，《推理雜誌》一五四期，一九九七年。
〈福爾摩斯與公家警察〉，《推理雜誌》一五五期，一九九七年。
〈抬舉福爾摩斯成名的選手們〉，《推理雜誌》一五六期，一九九七年。
〈福爾摩斯探案的「眞經」與「僞經」〉，《推理雜誌》一五七期，一九九七年。
〈福爾摩斯探案中的「中國」〉，《推理雜誌》一五八期，一九九七年。

新潮推理編輯室　〈偵探小說的開拓者……柯南．道爾〉，臺北：志文，一九九五年。
〈柯南．道爾的生平與其作品〉，臺北：志文，一九九五年。
〈家喻戶曉的福爾摩斯〉，臺北：志文，一九九五年。
〈柯南．道爾年譜〉，臺北：志文，一九九五年。

鄭麗園　〈貝克街二二一號〉，《英國女王有請！》，臺北：聯經，一九九六年。

盧郁佳　〈百分百死亡遊戲〉，聯合報四五版，一九九七年十月二十七日。

魏紹昌　《我看鴛鴦蝴蝶派》，臺北：商務，一九九五年。

英文部分

Doyle, Arthur Conan Great Works of Sir Arthur Conan Doyle. New York: Chatham River Press, 1984.

Hodgson, John A., Editor Sherlock Holmes: The Major Stories with Contemporary Critical Essays. Boston: Bedford Books of St. Martin's Press, 1994.

國家圖書館出版品預行編目資料

四簽名 / 柯南・道爾原著 ; 程小青等譯.
-- 修訂一版 . -- 臺北市 : 世界 , 1997〔民 86〕
面 ; 公分 -- (福爾摩斯探案全集)
譯自：The sign of four
ISBN 957-06-0169-8 (平裝)

873.57　　　　86015771

福爾摩斯探案全集

四簽名

722-2923

作　者／柯南・道爾
譯　者／程小青等
修訂整理／世界書局編輯部
發行人／閻　初
發行者／世界書局
登記證／行政院新聞局局版臺業字第〇九三一號
地　址／台北市重慶南路一段九十九號
電　話／(〇二)二三一一〇一八三
傳　真／(〇二)二三三一七九六三
郵撥帳號／〇〇〇五八四三—七　世界書局
印刷者／世界書局
出版日期／一九二七年初版一刷
一九九七年十二月修訂一版一刷
定　價／一三〇元